Porte Bonheur

Les Éditions Porte-Bonheur
une division des Éditions du Cram Inc.
1030, rue Cherrier, bureau 205
Montréal, Québec, Canada, H2L 1H9
Téléphone : 514 598-8547
Télécopie : 514 598-8788
www.porte-bonheur.ca

Illustration de couverture
Olivier Héban http://olivierheban.canalblog.com

Conception graphique et mise en page
Alain Cournoyer

Révision et correction
Hélène Bard

Dépôt légal — 1er trimestre 2010

Bibliothèque nationale du Québec
Bibliothèque nationale du Canada

Copyright 2010 © Les Éditions Porte-Bonheur

Gouvernement du Québec — Programme de crédit d'impôt pour l'édition de livres — Gestion SODEC. Les Éditions Porte-Bonheur sont inscrites au programme de subvention globale du Conseil des arts du Canada.

Les Éditions Porte-Bonheur bénéficient du soutien financier du gouvernement du Canada, par l'entremise du ministère du Patrimoine canadien, dans le cadre de son programme d'aide au développement de l'industrie de l'édition (PADIÉ).

Conseil des Arts du Canada **Canada Council for the Arts**

Société de développement des entreprises culturelles

 Québec

Patrimoine canadien Canadian Heritage

Catalogage avant publication de Bibliothèque et Archives nationales du Québec et Bibliothèque et Archives Canada

Bergeron, Guy, 1964 31 août-

    L'héritière de Ferrolia

    (La clef)
    Sommaire: t. 1. Le portail des ombres -- t. 2. La dame blanche -- t. 3. Le règne de l'épervier.
    Pour les jeunes.

    ISBN 978-2-922792-71-3 (v. 1)
    ISBN 978-2-922792-78-2 (v. 2)
    ISBN 978-2-922792-84-3 (v. 3)

    I. Titre. II. Titre: Le portail des ombres. III. Titre: La dame blanche.
    IV. Titre: Le règne de l'épervier. V. Collection: Clef (Éditions Porte-Bonheur).

PS8603.E684H47 2010   jC843'.6   C2010-940378-9
PS9603.E684H47 2010

Imprimé au Canada

L'HÉRITIÈRE DE FERROLIA

TOME 3 Le règne de l'épervier

Texte de **Guy Bergeron**

L'HÉRITIÈRE DE FERROLIA

TOME 3 **Le règne de l'épervier**

LE MONDE DE FERROLIA

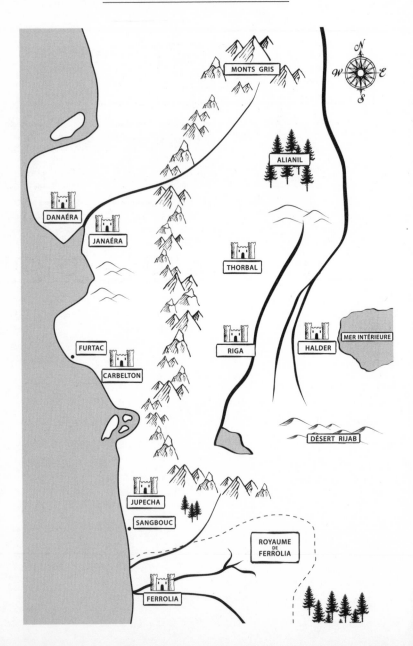

LE PANTHÉON DES DIEUX

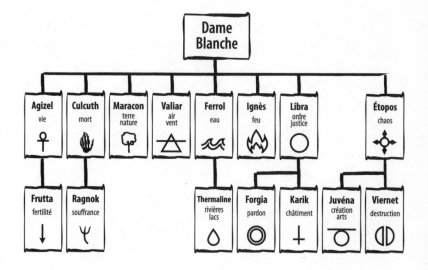

LE PORTAIL DES OMBRES

Culcuth, dieu de la mort, a fomenté en secret un plan visant à contrôler l'ensemble de l'humanité, afin d'augmenter son pouvoir. Il a créé le portail des Ombres, d'où s'échappent ses créatures. Ferrol, le dieu des eaux a appris ses desseins et s'est promis de le contrer.

Pendant ce temps, un évènement ébranle le royaume de Ferrolia. La princesse Miranda est atteinte, dès sa naissance, d'une grave maladie qui provoque des crises incontrôlables. Son père, un roi despote, tente de la sacrifier afin de regagner la faveur des dieux. Elle sera sauvée par Torkil, un garde de la reine qui l'élèvera loin de Ferrolia.

Âgée d'environ douze ans, Miranda – que l'on nomme maintenant Servia, afin de dissimuler son identité – perd Torkil qui meurt suite à une attaque, avant qu'il ait pu lui dévoiler ses origines. Aidée de Keiko, un ami qui possède la faculté de se changer en ours, elle tentera de trouver un ermite qui pourrait peut-être la guérir des crises qui la terrassent toujours.

Mais Thamir l'ermite ne parvient pas à la guérir. Avec lui, Servia et Keiko se retrouveront tout près du portail des Ombres et ils devront combattre les créatures de Culcuth, qui ont commencé à envahir la région. Ils rencontreront un peuple au physique d'enfants, mais puissant en magie, les Juventis. Les trois compagnons sont faits prisonniers et Culcuth force Thamir à devenir son héraut.

Servia et Keiko parviendront à s'échapper avec l'aide des Juventis et de Thamir, qui résistera au dieu, mais qui se sacrifiera afin de détruire le portail des Ombres.

Tome 2

LA DAME BLANCHE

*D'incessantes querelles entredéchirent les dieux.
Certains prennent le parti de Culcuth, d'autres
de Libra, déesse de la justice. Exaspérée, la
Dame Blanche, mère de tous les dieux, revient
parmi eux. Insatisfaite du travail de ses
enfants, elle décide de déclencher un déluge afin
de noyer le monde. Il lui sera proposé de mettre
à l'épreuve dieux et humains. S'ils réussissent,
Arménis sera sauvé ; sinon, ce sera la fin de
ce monde. Maracon, dieu de la nature propose de choisir Servia et Keiko pour représenter les humains. La Dame Blanche accepte :
les pluies commenceront dans un mois et les
humains devront avoir terminé leurs épreuves
avant que toute vie ne disparaisse.
L'adolescente et son ami ne se doutent pas de
l'enjeu qui pèse sur leurs épaules. Accompagnés
de Jeroban, le Juventis, ils partent à la recherche de Darius, un marin qui aurait connu
Torkil et qui pourrait renseigner Servia sur son
passé. Lors de leurs pérégrinations, ils com-
battront des pirates, rencontreront des morts-vi-
vants, des créatures étranges mi-chat mi-singe*

et même un sphinx, qui leur proposera des énigmes aux lourdes conséquences. Non sans difficulté, ils parviendront à réussir toutes leurs épreuves. Keiko et Servia parviennent à retrouver Darius, qui annonce à Servia qu'elle est en fait Miranda, héritière de Ferrolia.

La Dame Blanche arrête les pluies et épargne Arménis. Voyant que le cœur de Culcuth est noir comme du charbon et qu'elle ne parviendra pas à le changer, elle le détruit, mais garde une partie de son essence, qu'elle portera désormais en son sein.

PROLOGUE

Donne-moi tes mains, dit la Dame Blanche à Agizel.

La déesse de la vie approcha ses mains tremblantes de celles de sa mère, qui les serra doucement. La dame lui sourit et la douleur d'Agizel, liée à la perte de Culcuth, son frère adoré, s'estompa. La Dame Blanche dirigea les mains de sa fille vers son ventre arrondi par l'enfant qu'elle portait. Agizel sentit que la vie y prenait rapidement forme et elle leva vers sa mère de grands yeux bleus, empreints d'étonnement.

— Je n'ai jamais rien ressenti de tel. Cet être sera fort, chuchota Agizel avec déférence.

Libra se tenait un peu en retrait, observant la scène. Lors des deux derniers jours, elle avait tenté de consoler sa sœur éprouvée, sans y parvenir, ne sachant pas comment aborder le sujet et trouver les mots pour apaiser sa douleur. La plupart du temps, elle s'était contentée d'être présente, au cas où Agizel aurait voulu lui parler. Elle était tout de même parvenue, par sa seule présence lors de cette période difficile, à créer un lien solide avec sa sœur. Libra était contente de constater qu'elle ne lui tenait pas rigueur pour ce qui s'était passé. La déesse de la justice avait craint qu'Agizel éprouve un certain ressentiment envers elle, étant donné que Libra s'était, depuis quelque temps, constamment opposée à Culcuth.

Elle avait craint que sa sœur la considère comme étant responsable, du moins en partie, de sa mort.

Libra avait demandé conseil à sa mère, qui l'avait encouragée à prêter une oreille attentive à sa sœur.

— Agizel est très émotive et elle aimait Culcuth plus que tout. Elle aura besoin d'une épaule pour pleurer et d'une personne sur laquelle elle pourra compter, lui avait-elle dit.

Libra avait donc été là pour Agizel, comme plusieurs autres; cette dernière était heureuse de voir que les autres dieux se souciaient aussi de sa condition. La déesse de la justice n'avait pas été surprise de voir son fils tisser des liens très étroits avec sa tante. Forgia, dieu du pardon, faisait toujours preuve d'empathie et savait mettre les autres à l'aise. On n'hésitait jamais à se confier à lui, à trois exceptions près : Culcuth le détestait, simplement parce qu'il était le fils de Libra, Ragnok, dieu de la souffrance, suivait les traces de son père et finalement Ferrol, parce qu'il était le plus renfermé de tous.

À la suite des épreuves subies, et surtout depuis la mort de Culcuth, Ferrol s'était tout de même rapproché un peu plus de ses frères et sœurs, de même que Ragnok, qui s'était passablement adouci.

La déesse de l'ordre et de la justice regarda sa mère et sa sœur, alors que cette dernière retirait lentement les mains du ventre de la Grande Mère.

— Tu verras, Agizel, dit la déesse suprême en souriant toujours. Tu aimeras cet enfant, tout autant que Culcuth. N'oublie pas qu'il aura en lui une part de ce qui était le meilleur de ton défunt frère. Je compte sur toi pour le guider dès sa naissance.

— Je m'occuperai bien de lui, répondit Agizel en faisant un pas vers l'arrière. Libra remarqua que le poids de la tristesse voûtait un peu moins ses épaules.

Elle s'approcha et posa une main sur le bras de sa sœur.

— Tournons-nous vers l'avenir, dit-elle. Nous aurons beaucoup à faire, mais je sens une vague d'optimisme m'envahir quand je vois comment les dieux se comportent présentement.

Agizel acquiesça d'un signe de tête.

— Tu as raison. Ce qui est fait est fait. Je vous remercie toutes les deux de m'avoir réconfortée. Je dois vous laisser, Forgia m'attend.

La déesse de la vie disparut, laissant Libra et la Dame Blanche seules. Libra avait craint que sa sœur ne se dresse non seulement contre elle, mais aussi contre leur mère en apprenant la mort de Culcuth. Elle était soulagée ; non pas qu'elle eut peur qu'Agizel en vienne aux coups, mais cette dernière avait beau avoir un caractère doux et être sensible, ses pouvoirs n'en demeuraient pas moins importants, puisqu'elle était l'aînée des dieux. Libra était simplement contente de la retrouver moins abattue et tournée vers l'avenir.

— Nous quitterez-vous bientôt ? demanda Libra en regardant sa mère.

— Je vais demeurer ici encore quelque temps. Je veux évaluer la synergie qui se créera entre vous. De plus, je vais garder un œil sur la population d'Arménis en général, mais plus particulièrement sur nos deux jeunes amis.

— Servia et Keiko ? demanda Libra, la surprise arquant l'un de ses minces sourcils.

— En effet, confirma la Dame Blanche. Bien que leurs épreuves soient terminées, je crains que leur route ne soit encore parsemée d'embûches.

— Pauvres petits, ajouta Libra en secouant la tête. Ils auraient mérité un peu de tranquillité et de repos.

— C'est leur destin de devoir surmonter toutes ces épreuves, philosopha la Dame Blanche. J'ai pensé à quelque chose pour eux.

— De quoi s'agit-il ? demanda Libra, intriguée.

Sa mère ne lui répondit pas, elle se contenta d'afficher un sourire énigmatique. Libra haussa les épaules, salua sa mère et quitta à son tour la grande salle dans laquelle elles se trouvaient. La Dame Blanche demeura seule, plongée dans ses réflexions. Tout semblait bien aller du côté des dieux, même si elle considérait qu'ils avaient encore besoin de conseils. Elle songea ensuite à cet enfant qui grandissait en elle. Ce nouvel être puissant qui prendrait la place de Culcuth et deviendrait dieu de la mort. Finalement, elle pensa à Arménis et à ses habitants. Elle se demandait si elle n'était pas arrivée trop tard et si le mal que Culcuth avait occasionné n'était pas trop important pour que les torts faits aux habitants puissent être réparés. Seul le temps lui permettrait de répondre à ses interrogations. L'image de Servia et Keiko la fit sourire et ses yeux opalescents devinrent encore plus brillants.

CHAPITRE I

ORIGINES

Darius avait d'abord conduit Servia et Keiko dans sa cabine. Il y avait également convié son second, Paolo, un homme robuste, d'une trentaine d'années, qui aurait pu être bel homme, n'eussent été les cicatrices sur son visage, résultat d'une maladie de peau qui l'avait affligé à l'adolescence. Manifestement troublé, le capitaine du *Geignard* avait commencé son récit en racontant comment il avait été attaqué et laissé pour mort dans un caniveau, par les fiers-à-bras du capitaine du bateau sur lequel il se trouvait à cette époque, un beau navire nommé *L'Étoile*. Le vieil homme avait manigancé pour inciter Darius à déplacer, de sa maison à un endroit sûr, les richesses qu'il accumulait depuis des années afin d'acquérir son propre bateau. Il en avait profité pour demander à ses hommes de voler et tuer Darius. Quand le vieux capitaine avait appris que ce dernier n'était pas mort, sauvé in extremis par un prêtre de Ferrol, il avait quitté Ferrolia et n'y était jamais revenu. À la suite de cette attaque, Darius n'était jamais redevenu l'homme qu'il était avant. Ses blessures à la tête avaient été trop graves. Elles l'avaient forcé à réapprendre à marcher et à parler. Après sa convalescence, qui s'était étirée sur deux pénibles années, il avait dû recommencer au bas de l'échelle comme cuisinier à bord du *Geignard,* lui qui était jadis second sur *L'Étoile,* un navire au tonnage beaucoup plus élevé.

Servia fut plus attentive au discours de Darius quand celui-ci en vint au moment de sa rencontre avec Torkil, celui qui avait été le père adoptif de la jeune fille et qui cachait son identité en se faisant appeler Thomas. Le capitaine lui raconta l'arrivée de Torkil et de Bernadette, la vieille nourrice, sur le *Geignard,* puis comment, au fil des jours, ils étaient devenus amis. Il décrivit la mort horrible de Bernadette lors de l'attaque du bateau par un kraken et souligna le courage de Torkil, qui était quasiment parvenu à lui seul à repousser le monstre marin.

Torkil avait ensuite confié à Darius que le bébé qu'ils avaient fait monter à bord était Miranda, fille du roi Hatios de Ferrolia et de la reine Dalia. Un drame effroyable les avait forcés à quitter précipitamment le royaume. Darius raconta que Torkil lui avait avoué qu'il était l'un des gardes au château. Au début, Darius ne l'avait pas cru, mais en le voyant manier les armes lors de son combat contre le kraken, il avait bien vu que c'était vrai. Selon le capitaine, Torkil lui avait tout raconté et lui avait également montré les bijoux, dont la bague que Servia lui avait présentée. Il tenait à ce que quelqu'un de confiance connaisse les tristes événements qui les avaient poussés à fuir.

Servia écouta poliment le récit de Darius sans l'interrompre, l'observant sans cacher son incrédulité.

— Supposons que vous dites vrai, dit-elle. Vous saurez sûrement me décrire mon père, celui que vous nommez Torkil.

— Bien sûr, répondit Darius, avant de se lancer dans une description détaillée de l'homme en question.

Keiko regarda Servia, qui lui adressa un imperceptible mouvement de la tête, confirmant la justesse de la description.

— Vous avez donc connu ma mère ? le questionna Servia. À quoi ressemble-t-elle ? Habite-t-elle encore au château ?

— Je n'irai pas jusqu'à dire que je l'ai connue. Je l'ai aperçue deux fois et de très loin, lors des rares défilés auxquels j'ai assisté. J'en ai pourtant beaucoup entendu parler. Elle était très belle. En fait, je n'aurais qu'à vous tendre un miroir afin que vous voyiez à quoi elle ressemblait. Ses cheveux étaient toutefois très longs, contrairement à vous.

Pour une des rares fois de sa vie, Servia se sentit rougir. L'homme venait de lui affirmer que sa mère était très belle, et ensuite, qu'elle lui ressemblait en tous points. C'était la première fois qu'on lui adressait pareil compliment. Soudainement, elle réalisa que Darius parlait au passé de la reine de Ferrolia.

— Vous parlez de la reine comme si elle était décédée. Est-ce le cas ?

— J'en ai bien peur, répondit Darius en baissant les yeux et en se frottant nerveusement les mains. Voici maintenant la partie de l'histoire la moins réjouissante. Vous aurez certainement de la difficulté à l'accepter, mais j'estime que vous devez savoir ce qui s'est passé. Votre vie a été entièrement chamboulée à cause de ces événements. Mais j'y pense, avez-vous encore des crises comme lorsque vous étiez petite? demanda-t-il brusquement en posant ses yeux sur elle.

Servia perdit le souffle, comme si quelqu'un venait de lui asséner un bon coup de poing au ventre. Sa mère était morte, cela l'attristait, mais ne la remuait pas outre mesure, Torkil le lui avait déjà dit. Que Darius sache qu'elle avait été sujette à des crises l'ébranla davantage. Comment l'avait-il appris, sinon parce qu'il en avait été témoin ou que quelqu'un le lui avait dit? Ses allégations prenaient tout à coup un inconfortable aspect véridique. Elle sentit le bras réconfortant de Keiko sur ses épaules.

Depuis le début, Keiko avait écouté le récit du capitaine avec une fascination mêlée de scepticisme, mais ses yeux étaient restés constamment fixés sur son amie, surveillant ses réactions, prêt à l'appuyer au besoin. C'était exactement ce qu'il venait de faire et Servia apprécia son geste. Il fallut près d'une minute à la jeune fille pour remettre ses idées en place.

— Je n'ai plus de crises depuis près d'un an. J'espère qu'elles ont cessé pour de bon, dit-elle d'une voix chevrotante. S'il vous plaît, continuez votre histoire. Je suis curieuse de savoir comment nous sommes arrivés à…

— Sangbouc ? l'interrompit Darius en souriant. Je me souviens très bien quand nous vous y avons déposés.

Servia secoua la tête, sidérée. Elle était sous le choc et elle avait de la difficulté à croire, malgré toutes les preuves que lui fournissait Darius, qu'elle était vraiment l'héritière du trône de Ferrolia. Darius leur fit servir un peu de vin. Les quelques gorgées que prit Servia l'aidèrent à se calmer. Le capitaine attendit patiemment que la jeune femme se ressaisisse. Il semblait hésitant et mal à l'aise. Servia le remarqua.

— Allez-y, capitaine, racontez-moi la suite sans mettre de gants blancs.

— Bien, soupira Darius. Au moment de votre naissance, le roi Hatios menait depuis plusieurs années la destinée du royaume de Ferrolia d'une main de fer. Pardonnez-moi de vous le dire, mais disons que plusieurs, au sein du royaume, le considèrent comme violent, ambitieux, voire cruel. Il ne gagnera jamais de concours de popularité. Jusqu'à votre naissance, le royaume prospérait et son peuple acceptait plus facilement ses petits travers. Lorsque vous êtes née, il s'est réjoui d'avoir enfin une héritière. Quand les premiers signes de votre maladie sont apparus, il a fait mander plusieurs guérisseurs et prêtres. Tous lui ont dit qu'ils étaient incapables de vous guérir du grand mal. À un moment, le roi s'est emporté et il a tué un prêtre de Ferrol. Les prêtres du dieu de la mer lui ont alors tourné le dos. C'était le premier d'une série de malheurs qui se sont abattus sur Ferrolia. Il y a eu des épidémies et des famines, les royaumes avoisinants ont refusé de commercer avec Hatios, qu'on disait maudit des dieux. Afin d'apaiser le courroux de ces derniers, il a décidé de…

Darius hésita. Il passa une main sur son visage.

— Il a décidé de vous sacrifier sur l'autel de la chapelle de Ferrol, poursuivit-il mal à l'aise.

Keiko serra davantage Servia, qui, livide, attendait la suite, les lèvres serrées.

— Le grand prêtre de Ferrol, ayant eu vent de l'affaire, avertit votre mère des plans du roi, car il la tenait en haute estime. Le prêtre avait bien deviné ; le roi ne l'avait pas mis au courant de son sombre projet. Votre mère demanda à Torkil, qui était garde à sa porte, de la suivre. Sa vieille nourrice les accompagna. Torkil m'a raconté que le roi allait vous transpercer de sa dague lorsqu'ils étaient arrivés sur place. Sur l'ordre de la reine, il a combattu deux soldats fidèles à votre père. Il a même blessé le roi. Dalia a ensuite demandé à Bernadette de fuir et de vous cacher loin de votre père. Elle demanda aussi à Torkil de vous accompagner afin de veiller sur vous. Ils sont arrivés sur notre bateau et vous connaissez la suite.

— Que s'est-il passé cette nuit-là, à Ferrolia, à la suite de ces événements ? demanda Keiko, qui était demeuré muet jusque-là.

— L'histoire officielle raconte qu'un soldat, traître à sa patrie, s'en est pris au roi, qu'il a enlevé l'héritière, et qu'avant de se sauver avec sa complice, la nourrice, il a tué la reine.

Les yeux de Servia s'arrondirent et ses genoux fléchirent. Keiko dut la faire asseoir sur un petit tabouret qui se trouvait à quelques pas sur leur gauche. Elle venait de comprendre pourquoi le roi avait menti.

— Mon vrai père aurait donc tué ma mère ce jour-là ? demanda Servia, interloquée. C'est impensable.

— Pourtant, j'ai bien peur que ce soit la vérité. Torkil n'aurait pas inventé une telle histoire, c'était un homme d'honneur. On racontait déjà, à Ferrolia, que le roi battait fréquemment la reine. Aux dernières nouvelles que j'ai reçues de ce royaume, il y a quelques années, il en était toujours le souverain. Il ne se serait jamais remarié, et n'aurait pas eu d'autres enfants. Je ne suis jamais retourné là-bas.

— Y a-t-il d'autres personnes que vous qui sont au courant de cette histoire ? demanda Keiko en tendant sa coupe de vin à moitié pleine à sa compagne, qui venait de vider la sienne d'un trait.

— Je l'ignore, répondit Darius en haussant les épaules. Si Torkil n'en a parlé à personne d'autre, je suis probablement le seul. Comme je le lui avais promis, je n'ai jamais dévoilé son secret. Je suis désolé de vous transmettre de si mauvaises nouvelles.

Servia se frotta le front, songeuse.

— Capitaine, puis-je vous demander un service ? Je voudrais sortir et discuter seule à seul avec mon ami.

— Bien sûr, dit Darius en levant une main, mais vous n'avez pas besoin de sortir, nous allons vous laisser. Vous serez davantage à l'abri des oreilles indiscrètes dans ma cabine. Ne vous gênez pas si vous voulez encore du vin.

Le capitaine et son second laissèrent les deux amis seuls en prenant soin de bien refermer la porte derrière lui. Servia et Keiko se regardèrent en silence pendant deux minutes, mal à l'aise. Ce fut finalement Keiko qui brisa la glace.

— Crois-tu à cette histoire abracadabrante ?

— Au début, non, mais je ne sais plus… Darius a donné beaucoup de détails. Il a décrit Thomas correctement, il savait pour mes crises et il savait que je venais de Sangbouc. Ce ne sont peut-être que des coïncidences, qu'en penses-tu ?

Le jeune homme haussa les épaules.

— Je suis sceptique. Toi, une princesse ? Ça me semble invraisemblable.

— Ah bon, dit Servia en haussant le ton. Qu'est-ce qui est invraisemblable ? Pourquoi ne pourrais-je pas avoir du sang royal ? Suis-je trop laide ? Trop petite ? Pas assez intelligente ?

Keiko secoua violemment la tête.

— Ce n'est pas ça, se défendit-il. Tu ferais sûrement une princesse extra, mais j'ai peine à t'imaginer dans une grande robe, dansant dans une salle de bal. Je t'ai toujours vue comme une amie, un peu comme un garçon manqué.

Il comprit qu'il ne venait pas d'améliorer les choses quand il vit Servia rougir de colère.

— Je suis un garçon manqué maintenant! explosa-t-elle. Dis-moi, tu en embrasses d'autres, garçons comme moi, car tu m'as bien embrassée, déjà, et même à plusieurs reprises!

Keiko se passa quelques fois la main dans les cheveux avant de pousser un long soupir.

— Servia ne te fâche pas, tu sais que je ne suis pas doué pour les belles paroles. Ce n'est pas ce que je voulais dire. Je trouve la situation bizarre, c'est tout.

La jeune femme le fixa encore quelques secondes, le temps qu'elle se calme. Elle but une gorgée de vin, ce qui la détendit davantage.

— D'accord, dit-elle d'une voix radoucie. Je m'excuse de m'être emportée, c'est que… Je ne sais pas, je me sens un peu perdue.

— Je comprends, dit Keiko, avant de lui donner un baiser sur le front. J'ai peut-être quelque chose à te proposer.

Darius et Paolo étaient demeurés tout près de la porte de la cabine. Ils avaient entendu le ton monter entre les deux amis, sans distinguer leurs propos. Les autres marins faisaient preuve de discrétion et vaquaient à leurs occupations, même si le capitaine savait bien qu'ils étaient curieux, puisqu'il leur avait annoncé qu'une princesse se trouvait à bord du bateau. Une dizaine de minutes plus tard, Keiko avait entrebâillé la porte et leur avait demandé d'entrer. Entre-temps, Darius s'était fait apporter un peu de pain et du fromage, qu'ils partagèrent tous les quatre. Ce fut Servia qui revint la première sur le sujet.

— Nous avons pris une décision, dit-elle. Nous devons vous avouer que nous avons de la difficulté à croire votre histoire, non pas que nous doutions de votre parole, s'empressa-t-elle d'ajouter, mais nous croyons qu'après toutes ces années, quelques détails ont pu être oubliés par vous ou Thomas, je veux dire Torkil, puisque vous le connaissez sous ce nom.

— Je vous comprends, répliqua le capitaine d'un ton calme, mais je suis absolument sûr d'avoir raconté l'histoire, telle que Torkil me l'a confiée.

Servia hocha la tête.

— Vous avez sûrement raison, mais nous voulons nous en assurer personnellement, Keiko et moi.

Nous irons à Ferrolia incognito afin d'en avoir le cœur net. Nous verrons si le roi est l'être abject que vous avez dépeint et si les gens ont entendu parler de l'histoire de sa fille malade qui aurait été enlevée.

— Pour ma part, j'insiste pour vous affirmer que je vous ai exactement dit ce que Torkil m'avait raconté, mais je comprends que vous doutiez, dit Darius.

— Je vous crois, dit Servia.

Un silence plana sur leur tête quelques instants, alors que la jeune femme et le capitaine se dévisageaient.

— À votre guise, fit Darius. Toutefois, je crois que vous courez un réel danger si vous posez de telles questions. Les gens risquent de faire le lien entre vous et la princesse à cause de votre âge, de vos questions, et surtout, de votre ressemblance avec votre mère. Si le roi venait à apprendre que vous êtes de retour, vous seriez en danger. Il croira que vous êtes au courant de toute l'histoire, que Torkil vous a sûrement tout raconté. Il n'hésitera pas à vous éliminer afin de conserver sa position de monarque. Il a déjà tenté de le faire une fois…

— Nous serons prudents, le rassura Keiko. Si jamais on nous menace, ne craignez rien, nous saurons nous défendre. Connaissez-vous, par hasard, un navire qui ferait voile vers le Sud et qui nous prendrait à son bord ?

— Dis-moi, Paolo, à ton avis, un voyage à Ferrolia pour commercer serait-il profitable ? demanda le capitaine en se frottant le menton.

Son second se contenta d'un sourire en coin et d'un signe de tête.

— Puisque c'est comme ça, j'ai une offre à vous faire, continua Darius. Je dois d'abord en parler à mon équipage, mais je me propose de vous conduire à Ferrolia.

— Vraiment! s'exclama Servia. Ce serait formidable!

Darius leva la main pour tempérer son excitation.

— Je dois toutefois régler une affaire personnelle avant de quitter Janaéra. J'en ai peut-être pour quelques jours, voire quelques semaines. Je ne pourrai appareiller avant. Il y a bien des années que j'attendais ce moment et je ne peux le laisser passer sans rien faire. J'ai quelques questions à poser à un vieillard du nom d'Abraham, qui fut jadis mon capitaine et que je viens à peine de retrouver.

CHAPITRE II

LE CULTE DES PROPHÈTES

Darius passa les minutes qui suivirent à raconter la suite des événements qui l'avaient conduit à Janaéra. Il avait tout d'abord parlé de la trahison de son ancien capitaine, le vieux Abraham, qui l'avait fait battre avant de lui voler ses économies, puis de sa longue convalescence, suivie de son retour en mer à bord du *Geignard*, comme cuisinier. Avec une certaine hargne dans la voix, il leur avait expliqué comment il avait travaillé fort, autant pour conserver son poste sur le bateau que pour atténuer le plus possible les séquelles de ses blessures. Il ne croyait plus qu'il deviendrait un jour capitaine. Pourtant, un matin d'automne, le *Geignard* avait été poursuivi par des pirates. Servia et Keiko ne le savaient pas, mais il s'agissait du même navire-pirate qui les avait pris en chasse près de l'île de Rotana. Son capitaine avait fait abaisser les voiles et était embarqué sur le bateau pirate pour négocier sa reddition. Il avait été égorgé devant son équipage, avant même d'avoir pu prononcer une seule parole. Les pirates avaient alors demandé aux matelots du *Geignard* de jeter leurs armes s'ils voulaient être épargnés. Darius n'avait pas été dupe et une idée lui avait traversé l'esprit. Il avait pris le commandement et les hommes bien que déboussolés lui avaient obéi. L'équipage était parvenu à trancher les câbles des grappins qui les retenaient au vaisseau pirate, alors que la plupart des hommes repoussaient l'ennemi, qui recula de surprise. Les pirates ne s'attendaient pas à ce qu'on leur résiste. Darius avait donné l'ordre de hisser les voiles et le *Geignard* avait filé sur l'eau. Le petit navire marchand n'avançait certes pas aussi vite que le bateau pirate, mais Darius avait un plan. Il s'était emparé de la barre et avait foncé directement sur les récifs qui longeaient la côte. Il avait zigzagué entre les rochers. Le vaisseau ennemi, au tirant d'eau énorme, n'avait pu suivre le *Geignard* dans les eaux peu profondes. Darius, avec habileté et surtout grâce à la chance, avait réussi à ne pas fracasser la coque du navire contre les récifs. Il était ainsi parvenu à rejoindre un petit archipel où il avait pu cacher le bateau. Les pirates, se doutant bien de l'endroit où le *Geignard* était dissimulé, avaient dû faire un grand détour pour les rejoindre. Darius avait alors contourné une des îles, puis avait fait ce qu'il croyait le plus susceptible de surprendre l'adversaire ; il était retourné sur les lieux de leur capture et s'était ensuite dirigé vers le sud, d'où ils arrivaient. Les pirates avaient fait voile vers le nord, persuadé que le navire marchand tenterait de se rendre au port le plus près. L'équipage du *Geignard* avait perdu beaucoup d'argent en revenant au port qu'il avait quitté une semaine auparavant, mais tous, à part le capitaine, étaient sains et saufs. Paolo était déjà le second à cette époque et il aurait normalement dû prendre le commandement du navire, mais il avait proposé de confier ce poste à Darius. Il connaissait son histoire et il était persuadé que personne d'autre sur le *Geignard* ne connaissait aussi bien la mer et le commerce.

— Il y a maintenant plus d'un an que je suis capitaine, conclut Darius. Avant d'accepter de prendre la charge de ce bateau, j'ai cependant mis les choses au clair avec mes hommes. Je leur ai proposé de continuer de faire du commerce comme avant, à la condition de traquer Abraham en même temps. Notre itinéraire serait basé sur les déplacements du vieux bandit si nous retrouvions sa trace. Les hommes ont accepté sans chigner.

— Et nous ne l'avons jamais regretté, ajouta Paolo. Le commerce a toujours été bon depuis que Darius est notre capitaine.

— Sauf pour les dernières semaines, le corrigea Darius en se frottant la nuque, mais je crois que c'est partout pareil. Dans tous les ports que nous visitons, les gens cherchent de la nourriture, du bétail et des matériaux. Nous ne parvenons plus à nous approvisionner convenablement. Le déluge a causé beaucoup de torts.

— Vous dites avoir retrouvé Abraham ici, à Janaéra ? demanda Keiko avant de prendre une énorme bouchée de pain.

— Effectivement, je l'ai aperçu pas plus tard qu'avant-hier, ici, au port, en compagnie de deux hommes qui n'étaient apparemment pas des matelots. Je les ai facilement reconnus à leur allure. Ce sont les membres d'une secte qui prend de l'ampleur en ville, surtout du côté ouest. Ils se nomment eux-mêmes les prophètes. On les reconnaît sans peine, ils ont tous un visage livide et portent des pantalons noirs bouffants qui se terminent juste au bas du genou, et de très courtes vestes écarlates, sans manches. Ils portent également tous une boucle d'oreille de rubis taillé en forme de larme. Ils disent que c'est leur maître qui a fait cesser la pluie. Je n'en sais guère plus, mais j'ai demandé à deux de mes hommes, dont quelques membres de leur famille vivent dans le quartier ouest de la ville, d'aller aux renseignements. Ils devraient revenir ce soir. Je ne sais pas quel lien unit Abraham à ce culte, mais je compte bien l'apprendre.

— J'ai su que le vieil homme ne possède plus de navire. Il aurait vendu *L'Étoile* il y a plusieurs années, précisa Paolo. Il serait arrivé à Janaéra depuis peu. Certains disent qu'il résidait auparavant à Danaéra.

— Je compte bien obtenir quelques explications de sa part, dit Darius, les dents serrées.

Le *Geignard* demeura à quai ce jour-là, les hommes d'équipage s'affairant à le réparer et à l'astiquer. Servia et Keiko passèrent la journée sur le bateau, en compagnie de Darius et de Paolo. Le capitaine avait averti ses hommes de taire l'identité des visiteurs se trouvant à bord. Il ne voulait pas qu'il y ait de rumeurs qui courent jusqu'aux oreilles de Hatios, même si des milliers de lieues séparaient Janaéra de Ferrolia.

Un soleil teinté de rouge s'abîmait lentement dans la mer, à l'ouest, quand les deux matelots du *Geignard* revinrent à bord. Darius les fit entrer immédiatement dans sa cabine, impatient d'entendre leur rapport. Les deux hommes froncèrent les sourcils quand ils virent les deux jeunes gens en compagnie du second et de Darius.

Ils demeurèrent silencieux, ne sachant trop s'ils devaient parler en présence de ces étrangers.

— Messieurs, je vous présente Miranda... pardon, Servia et Keiko, dit Darius en servant un peu de vin à ses hommes, puis en les invitant à s'asseoir. Mes amis, ajouta-t-il en se tournant vers les jeunes gens, voici Thran et Hugo.

Les deux hommes saluèrent Servia et Keiko d'un signe de tête.

— Vous pouvez parler devant eux sans crainte, reprit Darius, je vous dirai plus tard qui ils sont. Alors, qu'avez-vous appris sur Abraham et sur la secte ?

L'un des hommes fixa de nouveau les visiteurs d'un regard scrutateur, puis il haussa les épaules avant de s'asseoir lourdement sur un petit banc de bois. Si son capitaine faisait confiance à ces étrangers, il les mettrait également au courant de ses découvertes. Il but une gorgée, puis poussa un soupir de fatigue avant de commencer le compte-rendu de leur excursion à l'ouest de la ville.

— Il se passe de drôles de choses là-bas, dit Hugo en grimaçant. Les gens de la ville, et surtout à l'ouest, semblent de plus en plus las, blafards et fatigués. Je ne sais pas si c'est dû aux derniers caprices du temps, mais les gens me paraissent sans énergie et anormalement taciturnes. Quand on les questionne, ils ne répondent que quelques mots et quand on aborde le sujet de la secte des prophètes, ils deviennent carrément hostiles.

— Comme tu l'as fait remarquer, les temps sont durs pour les citadins qui ont perdu beaucoup lors du déluge. Avec l'automne qui arrive à grands pas, il est normal qu'ils soient soucieux, commenta Darius. Ils se demandent probablement comment ils parviendront à passer l'hiver. La nourriture sera rare, une grande famine est à prévoir.

— Je ne suis pas sûr que ce soit la seule raison, dit Hugo.

— Nous avons suivi Abraham, ajouta Thran. Il a eu plusieurs entretiens avec les membres du culte et il s'est même rendu à leur temple, érigé hors de la ville.

— J'aimerais bien savoir ce qu'il mijote, dit le capitaine du *Geignard,* songeur.

— Nous n'avons pu l'apprendre, dit Hugo en remplissant de nouveau sa coupe de vin. Tout ce que les gens nous ont dit, c'est qu'il serait ami avec leur chef, qu'ils nomment le grand maître. En soudoyant un homme, nous avons appris qu'à Danaéra, le culte des prophètes a pris beaucoup d'ampleur, si bien que ce serait maintenant la principale religion de la ville. Les temples des dieux seraient de plus en plus à l'abandon. Nous avons aussi vu des processions presque continuelles qui se forment et se dirigent vers le temple. Nous ne nous sommes pas rendus jusque-là. Nous avons cessé de suivre Abraham lorsque nous sommes arrivés aux limites de la ville.

— D'après ce que nous avons pu comprendre, ajouta Thran, presque toutes les personnes qui ont reçu la visite des membres de la secte y adhèrent peu de temps après.

Darius demeura silencieux quelques minutes, regardant le sol. Il réfléchit quelques secondes avant de reprendre.

— Avez-vous su où demeure Abraham?

— Malheureusement non, répondit Hugo. Peut-être est-il installé au temple, il semble y passer beaucoup de temps. Quand il vient en ville, c'est toujours en charrette. À son âge avancé, il ne peut marcher très longtemps.

Darius réfléchit encore quelques instants.

— Très bien, lança-t-il en se redressant, l'air décidé. Si la montagne ne vient pas à nous, nous irons à la montagne. Demain, je me rendrai en ville et peut-être même jusqu'au temple. Je veux retrouver ce vieux brigand où qu'il soit. Hugo, tu connais bien le quartier ouest de la ville, tu viendras avec moi.

Le robuste matelot acquiesça d'un hochement de tête.

— Je devrais y aller aussi, intervint Paolo en faisant un pas vers l'avant. Sauf votre respect, mon capitaine, vous ne savez pas ce qui se passe entre Abraham et le culte des prophètes. Comme vous le savez déjà, ce vieillard n'a aucun scrupule. Mon petit doigt me dit que ce qu'il concocte avec les gens de ce culte n'a rien d'une œuvre de bienfaisance. Si j'ai raison, vous risquez de mettre le doigt dans une fourmilière. Ça pourrait chauffer.

— Raison de plus pour que tu demeures ici, dit Darius.

Il savait qu'avec ses limitations physiques, il ne serait pas de taille si une échauffourée survenait.

— S'il m'arrivait quelque chose, ce dont je doute, tu prendrais le commandement du navire. J'ai déjà rédigé une lettre, qui se trouve dans mon coffre, et qui te désigne comme propriétaire et capitaine du bateau s'il m'advenait de disparaître.

Paolo eut l'air surpris. Il lui fallut un moment avant d'ajouter quelque chose.

— Capitaine ? bafouilla-t-il.

— Tu es parfaitement prêt à remplir cette fonction, déclara Darius. Je suis toutefois d'accord avec toi, je n'irai pas seul avec Hugo, mais je préférerais m'en tenir à un groupe restreint afin de ne pas attirer l'attention.

— Dans ce cas, nous sommes les personnes toutes désignées pour vous accompagner, s'exclama Servia.

Tous les yeux se tournèrent vers elle. Elle affichait un large sourire.

— Majesté, ce n'est certainement pas une bonne idée... commença Darius.

— Majesté ? reprit Hugo, perplexe.

Darius leva une main, indiquant à son matelot de le laisser parler. Ce fut plutôt Servia qui s'imposa.

— Écoutez, capitaine, vous convenez qu'il est préférable de vous y rendre à plusieurs, pas seulement avec Hugo. Vous désirez aussi vous montrer discret. Je propose donc que Keiko et moi nous joignions à vous. Keiko est fort et il possède certains atouts qui pourraient bien nous servir si nous nous retrouvons dans une situation délicate. Pour ma part, la présence d'une femme dans le groupe nous rendra sûrement moins suspects et moins menaçants. Si on doit recourir à la force, ne soyez pas inquiet pour moi, je sais très bien me servir de mon arc.

— Il est hors de question que je vous expose à un possible danger, répliqua Darius.

— Si vous saviez tout ce que nous avons dû traverser pour nous rendre ici, cette idée ne vous aurait certainement pas effleuré l'esprit, ajouta Servia.

— Croyez-la, renchérit Keiko. Nous avons dû plus d'une fois recourir à la violence pour nous sortir d'impasses lors de notre long voyage. Servia est une archère comme je n'en ai jamais vu.

Il n'ajouta toutefois pas que sa connaissance des archers se limitait à Servia et aux quelques marins ayant combattu les pirates avec eux sur le bateau du capitaine Fabio.

Darius secouait toujours la tête.

— Dites-moi, capitaine, vous considérez-vous toujours comme un sujet de Ferrolia? demanda Servia.

— Bien sûr, répliqua-t-il. Même si j'ai quitté le royaume depuis longtemps, j'ai toujours eu l'intention d'y revenir un de ces jours. Il y a trop longtemps que j'ai déposé des bouquets de fleurs sur les tombes de ma femme et de mes filles.

Son regard s'assombrit et son visage se referma. Servia ne savait pas de quoi elles étaient mortes. Elle n'osa pas le demander. Visiblement, le sujet remuait encore le capitaine.

— Dans ce cas, capitaine, reprit-elle d'un ton léger, si vous vous considérez toujours comme un sujet de Ferrolia, vous devrez nous compter parmi vous demain.

Darius sursauta légèrement en revenant au moment présent et en repoussant les pénibles souvenirs qui l'assaillaient.

— Et pourquoi donc? demanda-t-il en haussant les sourcils.

— Parce que je vous l'ordonne, ajouta Servia en riant.

CHAPITRE III

LA CÉRÉMONIE

Darius maugréa. Il se soumit à contre-cœur à la volonté de Servia, qui le for-çait à les amener, elle et son ami, à la recherche d'Abraham.

— Espérons qu'ils ne feront pas de bêtises et que nous ne les aurons pas trop dans les jam-bes, dit-il à Hugo en passant son sabre à sa ceinture, alors qu'ils se trouvaient seuls dans la cabine.

— Nous pourrions toujours nous éclipser en cati-mini et les laisser ici, suggéra le marin en glissant une dague dans sa botte droite.

Darius secoua la tête.

— Ils nous suivraient de toute façon, j'en suis cer-tain. De plus, je n'ai pas le choix de lui obéir, cette fille est notre souveraine. Du moins, elle l'est pour les sujets de Ferrolia, corrigea Darius. Je sais que ce n'est pas ton cas. Allez ! Ils nous attendent sur le quai, allons les rejoindre.

Le soleil brillait de tous ses feux, faisant évaporer les petites mares d'eau parsemant le quai à la suite de la fine pluie tombée sur Janaéra pendant la nuit. Darius et Hugo rejoignirent Servia et Keiko. Le capitaine remar-qua que le jeune homme ne possédait qu'un bâton de marche et qu'un petit couteau, passé derrière sa cein-ture. Il savait que Servia portait un arc sur son dos, mais elle l'avait dissimulé sous une cape. Les deux amis ne semblaient guère menaçants, et ce, malgré l'impressionnante carrure de Keiko. Ses cheveux en broussailles et ses petits yeux noirs lui donnaient un air sympathique. Servia les accueillit avec un large sourire, dévoilant ses dents blanches et droites.

Darius les salua d'un signe de tête qu'ils lui rendirent.

— Maj... balbutia le capitaine.

— Appelez-moi Servia, le coupa la jeune femme. Ce sera plus prudent et surtout plus agréable. C'est aussi valable pour vous, Hugo.

— D'accord, reprit ce dernier, dans ce cas, laissez tomber le vouvoiement, nous ferons de même si vous n'y voyez pas d'inconvénient.

Darius lança un regard courroucé à son homme d'équipage. Il n'admettait pas que l'on s'adresse de la sorte à une princesse, encore moins qu'on la tutoie. Servia éclata de rire en remarquant le visage du capitaine du *Geignard*.

— Ne vous en faites pas, Darius, je ne voudrais pas qu'il en soit autrement. De toute façon, même si je ne mets pas votre parole en doute, je me considérerai seulement comme une princesse lorsque je serai retournée à Ferrolia et que je saurai que l'histoire de Thomas est totalement vraie.

— Je vous avertis, capitaine, déclara Keiko en lançant un regard de côté à sa copine, elle adore mettre les gens mal à l'aise. On s'y fait à la longue, ajouta-t-il en haussant les épaules. On y va?

— On y va, confirma Darius. N'oubliez pas que vous devrez m'obéir tant que vous êtes sur mon bateau ou si nous sommes ensemble en expédition, comme c'est le cas aujourd'hui.

— Ça nous convient parfaitement, dit Servia.

Hugo et Darius marchaient à l'avant. Servia tournait la tête de gauche à droite, observant les gens et les bâtiments. Les habitants de Janaéra ne semblaient pas rouler sur l'or. Les rues avaient besoin d'être réparées, les bâtiments également. Elle aimait pourtant l'architecture de ces maisons de bois au toit pentu, qui descendaient quasiment jusqu'au sol. Des armoiries ou des têtes d'animaux empaillés ornaient la plupart des pignons. Hugo expliqua qu'il s'agissait des symboles représentant chaque famille, aussi appelé des clans. C'étaient des vestiges des gens du Nord qui s'étaient installés dans la région.

Keiko, fidèle à son habitude, levait le nez au vent, captant les moindres effluves, grâce à son odorat développé. Parfois, il grimaçait lorsqu'une odeur qu'il n'appréciait pas lui chatouillait les narines. Quand un passant s'approchait un peu trop, il le regardait en fronçant les sourcils, il grognait sourdement, trop faiblement pour être entendu.

Plus ils se dirigeaient vers la limite ouest de la ville, plus les gens semblaient amorphes. Servia remarqua leur teint pâle, leurs paupières lourdes et leurs épaules voûtées. Elle aperçut pour la première fois des prophètes aux culottes bouffantes et aux oreilles percées. Ils étaient cinq. Leur peau était encore plus blanche que celle de tous les habitants de la ville. En y regardant de plus près, Servia aperçut un rond un peu plus foncé sur le biceps de l'un des hommes. Elle réalisa que leur peau n'était pas blanche, mais plutôt recouverte, comme leur visage, d'une sorte de poudre qui leur donnait ce teint livide. Hugo les repéra en même temps qu'elle et il posa une main sur l'avant-bras de Darius pour lui indiquer de s'arrêter. Il héla ensuite les prophètes en s'approchant d'eux.

— Excusez-moi, dit-il.

Les prophètes s'arrêtèrent.

— Nous avons besoin d'un renseignement, s'il vous plaît, se risqua Darius.

— Nous ne sommes pas des guides, nous sommes des prophètes, dit le plus petit de la bande d'un ton méprisant. Renseignez-vous ailleurs.

Ils s'apprêtaient à reprendre la route lorsque Hugo reprit la parole.

— Justement, précisa-t-il en écartant les bras. Nous sommes nouveaux en ville et nous avons entendu parler de votre culte. Nous aimerions en savoir davantage. On nous a dit que votre maître était parvenu à arrêter le déluge qui s'abattait sur nos têtes. Ce doit être un homme puissant. Nous souhaitons le rencontrer et faire d'importantes offrandes à votre culte.

L'attitude du prophète changea du tout au tout. Son visage s'éclaira.

— Vous auriez dû le dire plus tôt, dit-il en s'approchant et en serrant la main qu'Hugo lui tendit. Vous serez les bienvenus au temple. Vous n'avez qu'à vous rendre, une heure avant le coucher du soleil, à la limite ouest de la ville. Suivez cette route jusqu'au bout et vous arriverez à une enseigne peinte en rouge, vous ne pouvez pas la rater. Une procession se mettra en branle à cet endroit. Nous allons la guider jusqu'au temple. Vous n'avez qu'à vous joindre à nous. Vous verrez, vous ne le regretterez pas.

— Merci, dit Hugo, nous y serons sans faute.

— À plus tard, donc, conclut le prophète en s'éloignant, entraînant ses confrères à sa suite.

Hugo revint vers le reste du groupe qui n'avait rien raté de l'échange entre les deux hommes.

— Bien joué, Hugo, dit Darius en lui donnant une claque sur l'épaule.

Au grand étonnement du marin, Servia lui prit la main et regarda sa paume droite, celle qui avait serré la main du prophète. Elle y vit des marques blanches.

— C'est bien ce que je croyais, dit-elle. C'est de la poudre.

Keiko se pencha et les deux marins l'entendirent renifler.

— Tu as raison, c'est de la poudre de gyprion, dit-il, alors que ses trois compagnons le regardaient, l'air étonné.

— De la poudre de quoi ? demanda Darius.

— De la poudre de gyprion, répéta Keiko. C'est une plante des sous-bois qui se couvre de cocons à l'été et dans lesquels on trouve cette poudre. À l'automne, le cocon s'ouvre et la poudre s'envole. C'est ainsi que la plante se reproduit. On se sert souvent de cette poudre pour soulager les fesses irritées des bébés.

Servia et les deux marins le regardèrent, impressionnés par ses connaissances. Personne n'osa l'interroger afin de savoir pourquoi il connaissait les vertus médicinales de cette plante.

Le quatuor s'éloigna de la procession, juste avant d'arriver au temple. Darius souhaitait, pour le moment, observer à distance les agissements des membres de ce culte. Le temple était un grand bâtiment de pierres blanches, orné d'une multitude de colonnes sculptées. L'endroit où il se dressait était assez aride. Bien peu de plantes parvenaient à percer cette terre rougeâtre. Le sol était parsemé de gros rochers de tailles diverses. Les amis se cachèrent derrière l'un d'eux. Ils se trouvaient à une trentaine de mètres de l'entrée.

De leur point d'observation, ils virent les prophètes s'avancer en grand nombre pour accueillir la procession qui s'était arrêtée devant leur porte. Ils distribuèrent des boissons dans ce qui semblait être de petits bols en terre cuite, puis l'un d'eux les harangua, vantant les mérites et les bienfaits du culte, affirmant qu'ils étaient en mesure de combler les besoins de la population de Janaéra. L'homme connaissait bien les habitants de la ville. Il exploitait la jalousie qu'ils ressentaient à l'égard de leurs voisins, de l'autre côté de la rivière, les citadins de la ville de Danaéra, plus populeuse que la leur. Il expliqua que ses habitants, plus obtus, avaient pris beaucoup de temps avant d'adhérer à leur culte, alors que les gens de Janaéra faisaient preuve de bon sens, puisqu'ils réalisaient beaucoup plus rapidement son importance.

Le discours dura au moins une demi-heure. Servia remarqua que les gens de la procession commençaient à vaciller sur leurs jambes, comme s'ils étaient ivres. Elle soupçonna que la boisson qui leur avait été donnée contenait probablement une drogue. La quinzaine de prêtres guida ensuite les gens le long du mur extérieur du temple, vers l'arrière. Les citadins les suivirent docilement en dodelinant de la tête.

— Ils sont drogués, murmura Darius. Ils n'ont plus de contrôle. Allons voir ce qu'ils leur feront.

Les amis se déplacèrent de rocher en rocher, en prenant soin de demeurer hors de vue des prophètes. Ils trouvèrent une cachette qui leur convenait, d'où ils voyaient les gens en file indienne, devant une grande table de pierre, qui faisait probablement office d'autel.

— Mes amis, clama le même prêtre-prophète qui les avait accueillis à leur arrivée. Vous allez maintenant participer à la grande cérémonie pendant laquelle vous deviendrez les protégés du culte des prophètes ; ceux qui le sont déjà auront l'honneur de renouveler leurs vœux devant nul autre que le grand maître, l'ultime prophète.

Personne parmi la cinquantaine de personnes rassemblées ne répondit. Ils attendaient, inertes. La porte arrière du temple s'ouvrit et apparut une haute silhouette, encapuchonnée dans un long manteau blanc qui descendait jusqu'au sol. Les quatre amis, stupéfiés, observèrent l'homme qui avançait vers l'autel. Il devait

bien faire près de deux mètres cinquante et il se dépla-
çait en se dandinant comme un canard, de gauche à
droite.

— Relevez vos manches, ordonna le prêtre, alors
que le grand maître les rejoignait.

La foule lui obéit sans poser de question. Les amis
virent les citadins s'avancer l'un après l'autre. Le prêtre, placé aux côtés du grand maître, sortit alors de ses
poches un objet pointu qui ressemblait à une alène, le
poinçon servant à percer le cuir. Il piqua d'un geste sec
l'avant-bras du premier fidèle, puis la haute silhouette
encapuchonnée se pencha vers le bras tendu.

— Par tous les dieux, s'exclama Hugo indigné, on
dirait qu'il suce le sang de ces pauvres gens, trop drogués
pour réagir.

— Regardez, là-bas, près de la porte arrière du
temple, chuchota Darius. C'est Abraham.

Le vieil homme était assis sur le banc d'une charrette, tirée par un cheval brun. Il observait la scène avec
détachement.

— Ce vieux filou sait donc se qui se passe ici, commenta rageusement le capitaine.

Leur attention fut détournée d'Abraham par des
clameurs s'élevant de la foule. Un des hommes faisant
partie de la procession avait apparemment simulé l'apa-
thie jusqu'à ce qu'il soit devant le grand maître. Il avait
sorti un couteau. Les prêtres se ruèrent sur lui, mais arrivèrent trop tard pour protéger leur maître. Une main
aux longs ongles recourbés avait surgi de l'une des larges manches blanches du manteau et avait fait dévier

de justesse la lame que l'homme voulait lui planter dans le ventre. L'autre bras avait frappé l'homme à la hauteur des épaules et l'avait projeté deux mètres plus loin. Le grand maître retira son capuchon. Servia émit un petit cri de surprise. Ce n'était pas un homme qui se tenait devant l'autel, mais une créature à la tête ovale et au front plat, parsemé de pointes osseuses. Elle possédait deux paires d'yeux, l'une au-dessus de l'autre et une bouche sans lèvres d'où dépassait une rangée de petites dents pointues et triangulaires. Elle n'avait pas de nez, seulement deux orifices qui lui perçaient le visage, juste en bas de ses yeux. Lorsque la créature avait frappé l'homme, Servia avait aussi remarqué que le dessus de ses bras paraissait recouvert d'écailles semblables à celles d'une carapace de tortue. En tremblant, la jeune femme se hâta de saisir son arc.

— Est-ce qu'on aide ce pauvre bougre ? demanda Keiko en désignant l'homme qui avait attaqué le maître, que trois prêtres rouaient de coups.

— Non, dit Darius. Nous sommes trop peu et notre devoir est d'avertir les dirigeants de la ville de la menace que représentent le culte et leur grand maître.

Keiko observa le capitaine pendant quelques secondes, déçu de sa réponse. Maintenant qu'il avait assisté à cette cérémonie, il lui répugnait de laisser l'homme aux mains des membres du culte. Il finit néanmoins par hocher la tête, conscient de la sagesse des paroles de Darius. Le sort allait pourtant les impliquer malgré eux. Par un effort incroyable, poussé par l'instinct de survie, l'homme parvint à faire chuter l'un des prêtres en lui tordant une jambe, puis il bondit sur ses deux pieds et s'éloigna en courant, directement vers le rocher où Darius et sa bande étaient cachés. Déjà, les prêtres couraient derrière lui et, plus terrifiant encore, la créature s'avançait également vers eux de sa démarche chaloupée. L'homme bondit derrière le rocher et tomba dans les bras d'Hugo. Il commença à se débattre.

— Du calme, dit le marin en l'entourant de ses bras puissants, nous sommes de ton côté.

Quand il desserra son emprise, l'homme se libéra et courut vers la ville en tenant ses côtes blessées. Il avait aussi une épaule démise, là où la créature l'avait atteint.

— Vite, on file, cria Darius, conscient qu'ils devaient se sauver.

Il claudiqua le plus rapidement qu'il put, à la poursuite de l'homme. Hugo allait s'élancer aussi lorsque Servia l'arrêta en lui saisissant l'épaule.

— Si nous ne les ralentissons pas, ils nous auront vite rattrapés. Le capitaine ne peut pas courir assez rapidement. Nous allons les retenir une petite minute. Protégez le capitaine.

— Mais… balbutia Hugo.

— Votre capitaine vous a ordonné de vous sauver, obéissez-lui.

Hugo s'élança à la suite de Darius en jetant un regard derrière lui. Il vit le bâton de Keiko tournoyer avant de s'abattre sur le crâne du premier prêtre qui contournait le rocher. Ce dernier s'effondra comme un sac de farine. Le second reçut une flèche au torse, à bout portant, et le troisième bénéficia du même traitement que le premier. Keiko jeta un coup d'œil derrière lui.

— Ils ne sont pas assez loin. Nous devons leur donner encore quelques secondes d'avance, dit-il.

Servia hocha la tête, les lèvres serrées par la détermination. Ils devraient donc repousser la créature, de même que la dizaine de prêtres qui s'élançaient vers eux en brandissant des poignards et des sabres recourbés. Keiko écarta les jambes et serra sa poigne sur son bâton, attendant la créature de pied ferme. Les deux tirs suivants de Servia ne tuèrent pas les prêtres les plus rapprochés, mais suffirent à les mettre hors de combat. L'un d'eux chuta, une flèche plantée dans la cuisse, et l'autre avec un projectile fiché dans l'aine.

Keiko porta son premier coup. Il espérait que ce nouveau bâton acheté en ville serait assez résistant. La créature leva son avant-bras cuirassé et bloqua l'attaque, semblant insensible à la douleur. Elle le frappa à son tour et ce fut au tour de Keiko de parer le coup à l'aide de son arme. Il réalisa que son adversaire possédait une force supérieure à la sienne, même s'il adoptait sa forme d'ours. Il suivit donc les conseils que lui avait prodigués Thamir, le vieil ermite, qui lui avait enseigné l'art du combat au bâton. Il se contentait de dévier les coups, sans jamais tenter de les bloquer complètement. Pour les quelques secondes qui suivirent, il évita que l'une des mains à quatre doigts l'atteigne et lui lacère la peau.

Une flèche se ficha dans le torse de la créature qui recula d'un pas, la surprise se lisant dans ses quatre yeux qui se fixèrent sur Servia. Keiko en profita pour passer à l'offensive. Il projeta son bâton de toutes ses forces vers l'avant, comme un soldat le ferait avec une lance.

Son coup atteignit son adversaire à la bouche, cassant deux de ses dents. Une autre flèche l'atteignit au front, mais elle ricocha sur ses écailles sans lui faire de mal. La créature demeura ainsi figée de surprise pour encore un moment. Derrière elle, les prophètes s'étaient arrêtés et murmuraient entre eux. Apparemment, ils étaient aussi surpris que leur maître de voir qu'une flèche était parvenue à percer la carapace qui couvrait aussi son torse et ses jambes.

— C'est le temps d'y aller, dit Keiko. Grimpe sur mon dos.

Servia avait encoché une autre flèche en vitesse. Elle la décocha et son projectile se planta dans l'un des biceps de la créature. Le bruit de vêtements déchirés lui annonça que Keiko venait de se transformer en ours. La vue de cette immense bête noire ne rassura pas les prophètes, mais n'effraya aucunement la créature qui poussa un cri de colère strident et se rua sur les deux jeunes gens. Servia bondit sur le dos de son ami, s'agrippant à son épaisse fourrure. Keiko s'élança vers l'est à toute vitesse. Les ongles de la créature le manquèrent de justesse. Voyant courir l'ours, le grand maître poussa un autre cri à glacer le sang, celui-là de frustration. Il n'était pas assez rapide pour les rattraper, alors qu'ils se dirigeaient rapidement vers la ville.

CHAPITRE IV

FAUSSES ACCUSATIONS

L es dieux ressentirent tous simultanément un frisson qui leur parcourut l'échine. Ils perçurent ensuite une présence inconnue parmi eux. Agizel, la déesse de la vie, comprit pourquoi quand elle se présenta devant sa mère. La Dame Blanche tenait dans ses bras le nouveau-né qu'elle attendait. Le bébé, nu comme un ver, gigotait dans ses bras. La Grande Mère leva la tête et son regard lumineux croisa celui d'Agizel. Elle lui sourit.

— Ma fille, laisse-moi te présenter ton petit frère, celui qui deviendra le nouveau dieu de la mort. Voici Culcuth, le deuxième du nom, annonça-t-elle.

— Il s'appellera Culcuth aussi ? demanda Agizel en baissant les yeux sur le bambin.

La Dame Blanche acquiesça, avant de lui tendre le bébé.

— Tiens, dit-elle. Prends-le. C'est à toi que je confie la tâche de l'élever selon les principes que j'ai établis. Montre-lui à respecter ses frères et sœurs, mais enseigne-lui aussi à ne pas hésiter à faire part de ses opinions. Qu'il devienne ce que son prédécesseur aurait dû être. Tes frères et sœurs t'aideront dans cette tâche. Fais surtout confiance au bon jugement de Libra. Elle saura quand il s'agira de discipliner l'enfant ou de l'encourager.

Agizel prit avec précaution l'enfant dieu dans ses bras. Ce dernier, silencieux depuis sa naissance, la regardait fixement. Il n'avait pas poussé le moindre cri et n'avait pas pleuré. Finalement, il lui adressa un sourire. La déesse ressentit une chaleur lui envelopper le cœur et elle lui rendit son sourire.

— Vous pouvez compter sur moi, dit-elle à sa mère. J'en ferai un dieu digne de ce nom. Je suis sûre que nous allons bien nous entendre, ajouta-t-elle en passant une main sur la joue de l'enfant.

Keiko sortit de la ruelle, alors que Servia faisait le guet. Il avait revêtu une chemise et un pantalon, vêtements qu'il traînait dans son sac à dos. Maintenant qu'ils avaient distancé leurs poursuivants, Keiko avait jugé bon de reprendre sa forme humaine. La course de l'ours, transportant une femme sur son dos, aux abords de la ville, avait déjà un peu trop attiré l'attention des habitants.

Quand le jeune homme eut rejoint son amie, ils s'élancèrent de plus belle, au pas de course, afin de rejoindre Darius, Hugo et l'homme qui avait attaqué le maître du culte des prophètes. Il ne leur fallut pas longtemps pour les atteindre. Ils virent l'homme qui avait du mal à marcher, supporté de chaque côté par Hugo et le capitaine du *Geignard*. Ses vieilles blessures l'empêchaient de se déplacer avec la célérité qui le caractérisait dans sa jeunesse. L'homme titubait.

— Est-ce que ça va ? demanda Keiko en arrivant derrière Hugo et Darius, qui sursautèrent.

— Que les dieux soient loués, dit Darius, hors d'haleine, vous êtes sains et saufs. Hugo, arrêtons-nous quelques instants. Nous devons reprendre notre souffle.

Servia remarqua alors la tache rouge sur la chemise de l'homme, à la hauteur de son flanc droit.

— Nous devrions l'amener chez un prêtre, proposa la jeune fille. Il est blessé. Je n'avais pas vu qu'il avait été atteint d'un coup de couteau lors du combat.

— Non, pas de prêtre, murmura l'homme.

— Rendons-nous au navire, décida Darius. Nous le soignerons à bord, et pendant ce temps, j'irai raconter aux autorités ce qui se passe au temple.

— Laissez-moi prendre votre place, dit Keiko, qui n'attendit pas l'approbation du capitaine avant de saisir le bras de l'homme, qu'il passa derrière son cou. Prêt? ajouta-t-il à l'attention d'Hugo.

Le marin hocha la tête et ils reprirent leur route, au pas cette fois, en direction des quais.

Il leur fallut près d'une heure pour parvenir au *Geignard*. Aussitôt à bord, l'homme fut transporté dans la cabine du capitaine et on l'étendit sur le lit de celui-ci. Il gémissait faiblement. Hugo lui enleva sa chemise, puis Darius nettoya la plaie et y appliqua un bandage qui se rougit aussitôt de sang. Paolo, le second du navire, fut dépêché pour trouver un prêtre de n'importe quelle confession, mais surtout pas un prophète. Darius doutait, de toute façon, que ces hommes poudrés de blancs possèdent quelques pouvoirs que ce soit.

— Qu'on sonne le cor de brume pour appeler tous les hommes à bord, ordonna le capitaine. Il faut se préparer au cas où les prophètes viendraient se venger. Un marin qui se tenait dans l'embrasure de la porte de la cabine s'empressa de transmettre les ordres.

Servia avait trempé un linge dans une bassine remplie d'eau, qui se trouvait près du lit, et épongeait le front couvert de sueur de l'homme.

— M'entendez-vous ? dit Darius en se penchant au-dessus de lui. C'est un acte bien téméraire que vous avez commis là-bas au temple. Pourquoi avez-vous agi de la sorte ?

— Ces prétendus prophètes ne sont que des marionnettes au service d'une créature buveuse de sang, déclara-t-il faiblement.

— C'est ce que nous avons constaté, répondit Darius en lui tendant une tasse pleine d'eau.

L'homme grimaça quand il tenta de se redresser. Servia l'aida en lui passant une main sous la nuque. Il parvint à avaler quelques gorgées avant de se laisser choir sur le lit, le souffle court, la respiration sifflante.

— La ville est sur le point de tomber sous le joug de ce culte maudit. Tout comme est tombé Danaéra. Les membres du culte contrôlent maintenant toutes les personnes influentes là-bas.

— Mais pourquoi les gens se rendent-ils au temple en si grand nombre ? demanda Servia.

— Ils n'ont pas le choix. Je ne sais pas comment ils procèdent, mais une fois qu'un des prophètes nous a parlé et nous a demandé de nous joindre à l'une des processions, nous devons obéir, sans quoi, nous ne pouvons plus trouver le sommeil. Nos nuits deviennent agitées et remplies de cauchemars. Je crois que c'est l'un des pouvoirs obscurs de leur maître. Nous ne pouvons plus dormir paisiblement. Si nous acceptons de nous joindre à eux, ils nous droguent et toutes les semaines, ils prélèvent un peu de notre sang. Pas assez pour nous tuer, mais assez pour nous affaiblir.

— Voilà qui explique pourquoi les gens ont tous l'air si abattu. Soit ils sont épuisés par le manque de sommeil, soit ils le sont par la perte régulière de sang, observa Keiko en se grattant la tête. C'est vraiment horrible. Pourquoi personne n'a-t-il rien fait pour les arrêter ? ajouta-t-il, outré.

— Moi, j'ai agi, mais je ne croyais pas que la créature fût si forte. J'ai échoué, dit-il en baissant les yeux, découragé.

— Vous auriez dû avertir les autorités plutôt que de tenter de régler vous-même la situation, intervint Darius.

— Je ne fais plus confiance à personne, répondit l'homme d'une voix de plus en plus faible. Je suis sûr que certains de nos dirigeants ont aussi été recrutés et sont maintenant contrôlés par les membres du culte.

— Bon, reprit le capitaine. Assez parlé. Reposez-vous un peu, nous prenons la relève.

L'homme ferma les yeux et s'endormit immédiatement. Darius ordonna à l'un de ses hommes de veiller sur le blessé, avant de quitter sa cabine, suivi d'Hugo, de Servia et de Keiko.

— Que s'est-il passé après notre départ ? demanda le capitaine aux deux amis.

— Nous avons abattu quelques prophètes qui nous attaquaient et Keiko en est venu aux coups avec la créature, l'informa Servia.

— L'avez-vous tuée ? demanda Darius, incrédule.

Keiko secoua la tête.

— Non, Servia l'a atteinte de quelques flèches, mais elle possède une espèce de carapace qui empêche les projectiles de pénétrer profondément dans sa chair. Elle était vraiment trop forte pour nous. Je suis parvenu à lui casser quelques dents, ce qui l'a mise en colère et nous avons fui. Elle n'est pas rapide. Nous sommes parvenus à la distancer rapidement.

Servia remarqua que Keiko avait omis de préciser qu'il s'était transformé en ours. Elle se demanda s'il l'avait fait sciemment.

— Vous êtes pleins de surprises, c'est le moins qu'on puisse dire, déclara Darius en se frottant le menton. Hugo et moi vous devons des remerciements, je ne sais pas si nous serions parvenus à fuir les lieux sans votre aide. Avec ma jambe folle, je suis d'une insupportable lenteur.

— Qu'allez-vous faire maintenant ? demanda Servia.

— Le temps presse, dit Darius. Je vais me débarbouiller et passer une chemise propre, puis j'irai m'entretenir avec les dirigeants de la ville afin de leur raconter ce que nous savons. Je doute que le vieil Abraham et les prophètes soient les bienvenus dans la ville par la suite.

— Nous devrions vous accompagner, suggéra Keiko. Vous pourriez tomber sur des membres du culte sur la route.

Darius hésita un moment, son regard se posant tour à tour sur Servia et sur Keiko.

— D'accord, concéda-t-il. Je vous suggère d'aller chercher vos affaires à l'auberge et de vous installer à bord. J'aurai l'esprit plus tranquille si vous êtes protégés par mes hommes d'ici là. Personne ne montera sur le pont sans mon approbation ou celle de Paolo.

— Y aura-t-il aussi de la place pour Brega ? le questionna Servia.

— Brega ? Qui est-ce ? Un de vos amis ?

Servia éclata de rire.

— Pas vraiment, Brega est mon âne. Il a été notre compagnon de voyage depuis le début.

Le capitaine se prononça aussitôt :

— Pas question de faire monter une bête à bord. Je veux bien l'embarquer au moment où nous mettrons les voiles vers le sud, mais pas avant. Il ne serait pas à l'aise ici et l'odeur…

— Brega ne sent pas plus mauvais que certains de vos hommes, répliqua Servia en fronçant les sourcils. De plus, c'est un animal très intelligent et…

— Servia, je pense que le capitaine a raison, admit Keiko. Brega ne serait pas bien ici. Il vaut mieux l'embarquer le plus tard possible.

La jeune femme croisa les bras sur sa poitrine et fit la moue.

— J'ai une idée ! dit Darius. Allez l'installer dans l'écurie du port, ce n'est qu'à quelques pas et ce n'est pas plus cher qu'à l'auberge. Faites vite, nous partirons pour aller rencontrer les autorités dès votre retour.

Servia et Keiko se hâtèrent de rejoindre leur auberge.

— C'était donc ça, dit Servia qui courait quasi-ment, afin de se maintenir à la hauteur de Keiko, qui marchait vite grâce à ses longues enjambées.

— Quoi donc? demanda Keiko en se tournant vers son amie.

— Te rappelles-tu l'énigme que nous avait présentée Evanöe à son manoir? Il avait parlé de la ville jumelle qui se prosternerait devant les buveurs de sève ou quel-que chose du genre. Nous savons maintenant ce qu'il entendait par «buveur de sève», le sang n'est-il pas aux humains ce que la sève est aux plantes?

— Maintenant, ça me semble évident.

Il leur fallut près d'une demi-heure pour faire l'aller-retour. Ils installèrent Brega, qui était fort heureux de les revoir, dans l'écurie du port, et payèrent le palefrenier deux jours d'avance. Ils montèrent ensuite à bord du bateau, où ils se désaltérèrent et se passèrent un peu d'eau sur le visage.

Une dizaine de minutes plus tard, le capitaine rejoi-gnit les deux jeunes amis près de la passerelle de débar-quement. Ils n'eurent même pas le temps de mettre un pied hors du navire qu'ils aperçurent Paolo qui courait vers eux, ventre à terre. Il grimpa à bord et s'arrêta devant le capitaine. Il ne lui adressa pas tout de suite la parole. Plié en deux, les mains sur les genoux, il tentait de reprendre son souffle. Des gouttes de sueur tombaient du bout de son nez. Darius lui accorda quelques secondes avant de le questionner.

— Tu n'as pas trouvé de prêtre pour guérir notre invité? demanda le capitaine. Que s'est-il passé? On dirait que tu as un monstre aux trousses.

— Pas de prêtre, haleta Paolo avant de se redresser et de prendre une profonde inspiration. J'en cherchais un quand j'ai entendu une nouvelle plutôt troublante. Abraham a été plus rapide que vous. Il est allé rencontrer les autorités. Je ne sais pas ce qu'il leur a raconté, mais ce que je sais, c'est que la milice doit venir au port pour vous arrêter.

— Quoi? M'arrêter? Pour quelle raison?

Paolo secoua la tête.

— Je n'en sais rien. Allez donc savoir ce qu'Abraham a inventé afin de vous incriminer. Les prophètes corroboreront certainement ses dires.

— Il était en charrette quand nous l'avons vu au temple. Il nous a sûrement aperçus quand nous nous sommes sauvés, dit Darius, songeur. Il lui aura été facile de presser sa monture et d'aller rapidement rencontrer les autorités.

— On m'a aussi raconté qu'en plus de les convaincre de vous arrêter, il les a aussi persuadés de faire saisir le *Geignard*.

Le regard de Darius s'assombrit.

— Pas question de laisser quelqu'un d'autre mettre la main sur mon navire, dit-il, les dents serrées. Sais-tu si la milice est déjà en route?

— Ça ne m'étonnerait pas, répondit Paolo, mais je n'en ai pas entendu parler. J'ai couru jusqu'ici dès que j'ai été mis au courant de la nouvelle.

— Tu as bien fait, dit Darius.

Le capitaine tourna en rond sur le pont du bateau pendant quelques instants, réfléchissant à la situation.

— Il me répugne de céder devant l'adversaire, mais nous devons sauver le bateau. Abraham, je te jure qu'un jour tu me le paieras, marmonna Darius. Paolo, ordonne aux hommes de se préparer à mettre les voiles d'urgence. Servia, allez chercher votre âne. Je vais envoyer quelques hommes avec vous afin qu'ils rapportent aussi du fourrage. Dépêchez-vous.

L'équipage discipliné du *Geignard* eut tôt fait de préparer le navire pour le départ. Ils n'eurent cependant pas le temps d'embarquer de marchandise à bord, mais au moins, ils avaient des réserves de nourriture. Quand les derniers marins montèrent à bord, chargés de foin, de paille et d'avoine, ils étaient accompagnés de Keiko, de Servia et de Brega, qui se faisait tirer l'oreille pour monter sur l'étroite planche d'embarquement. Quand l'âne fut à bord, Darius ordonna de remonter la planche, de lever l'ancre, puis de hisser les voiles.

Le *Geignard* quitta le quai de Janaéra juste à temps. Des sifflets se firent entendre et une troupe d'une trentaine de miliciens arriva sur les quais. Ils demeurèrent immobiles, impuissants, en observant le bateau marchand s'éloigner.

— Je suis innocent ! leur cria Darius depuis la poupe de son vaisseau. Informez-vous sur le culte des prophètes et demandez à rencontrer leur maître. C'est une créature assoiffée de sang.

— Si vous êtes innocent, comme vous le prétendez, revenez et soumettez-vous à la justice ! s'égosilla en retour le chef des miliciens.

Darius se contenta de secouer la tête. Derrière la troupe, il vit se profiler une charrette qui s'arrêta. Le *Geignard* s'éloignait rapidement et il ne pouvait distinguer les traits du cocher. Il était pourtant persuadé qu'il connaissait cette personne.

— Je reviendrai, Abraham, murmura-t-il pour lui-même. Je te le jure.

CHAPITRE V

LUCIUS

Hatios, roi de Ferrolia, était loin de se douter que sa fille, qu'il croyait chassée à jamais du royaume, faisait voile dans sa direction. Il s'était efforcé d'oublier cette nuit où, presque quinze ans auparavant, il avait tenté de sacrifier Miranda pour apaiser le courroux du dieu de la mer, patron du royaume. Le fait d'avoir tué la reine de ses propres mains ne le tourmentait pas. Il jugeait avoir fait ce qui était le mieux pour lui, mais surtout, il s'était convaincu de l'avoir fait pour le plus grand bien du royaume. Il était persuadé que Ferrolia serait plongée dans une crise s'il n'en était plus roi. Toutes les raisons étaient bonnes pour ne pas perdre son trône. Son règne avait jusqu'à maintenant été caractérisé par le meurtre, la torture et les actes malhonnêtes de toutes sortes. Si ses sujets avaient été au courant du tiers de ses actes immoraux, ils l'auraient promptement chassé du royaume ou simplement tué, même si, dans toute l'histoire de la royauté, il n'y avait eu aucun régicide. Hatios parvenait presque toujours à dissimuler ses crimes, et si certains étaient découverts, ses mensonges parvenaient à en faire rejeter le blâme sur les épaules de quelqu'un d'autre, qu'il n'hésitait pas à sacrifier pour sa cause.

Pendant toutes ces années, il n'avait eu qu'un groupe d'adversaires qu'il ne pouvait éliminer et faire taire :

les prêtres de l'Assemblée de Ferrol. Ils s'étaient élevés contre lui après qu'il eut froidement tué l'un des leurs, dans un élan de colère. Les prêtres ne se prononçaient pas ouvertement contre leur monarque, puisque ça aurait pu être considéré comme une trahison, mais ils ne l'appuyaient plus et évitaient de se rendre au château. Les habitants de la capitale du royaume savaient bien que les gens de Ferrol ne tenaient pas Hatios en haute estime, mais ils n'avaient jamais su pourquoi, même si certaines rumeurs couraient.

Depuis ce temps, le roi ne s'était jamais remarié, de telle façon qu'heureusement aucune femme n'avait eu à supporter sa violence. Hatios était un homme lâche, qui cherchait à profiter des personnes sur lesquelles il avait un ascendant. Il était loin d'être le seul homme du genre à Arménis, qui faisait souvent souffrir les gens de son entourage, soit par les coups ou en les rabaissant constamment. Ces personnes se complaisent dans leurs souffrances et leurs malheurs. Leurs enfants et leurs conjointes en faisaient la plupart du temps les frais. Hatios, lui, profitait de son titre pour harasser davantage de gens, qu'il pouvait maltraiter impunément.

La patience du roi avait été mise à rude épreuve ces derniers temps. Le déluge avait causé beaucoup de dommages, partout dans le royaume, et les gens demandaient l'aide de leur souverain afin de lutter contre la famine qui sévissait déjà et qui risquait d'empirer à la saison froide. Les fermiers avaient perdu plus de la moitié de leurs troupeaux et de leurs récoltes. L'or recueilli par les collecteurs de taxes arrivait de plus en plus rarement jusqu'aux coffres royaux. Hatios demanda donc à ses hommes d'armes d'aller chercher eux-mêmes l'argent et les denrées dans chaque chaumière du royaume. Les sujets qui refusaient de payer cet impôt étaient emprisonnés sur-le-champ. Certains soldats, encouragés par leur monarque, se transformèrent en pillards, tuant les hommes qui ne collaboraient pas et violant les femmes. Quand des plaintes parvenaient jusqu'à la cour, le roi calomniait l'Église de Ferrol, rejetant la faute sur eux.

— Les gens de Ferrol ne nous aident plus et regardez comment le dieu, en colère, a réagi devant leur oisiveté, disait-il. Il nous a envoyé des pluies incessantes qui ont causé un tort irréparable au royaume. Les temps sont durs et nous devrons tous nous serrer la ceinture afin de nous en sortir. Ne donnez plus votre argent au culte de Ferrol, laissez-moi gérer les richesses du royaume et nous serons bientôt tirés de ce mauvais pas.

Pourtant, la population de la capitale n'était pas dupe. Elle savait bien que le roi offrait encore de multiples réceptions au château, où le vin coulait à flots et où l'on ne se privait pas de nourriture. La grogne gagnait en intensité et se propageait lentement à la grandeur du royaume.

Heureusement pour la population, les excès du roi étaient partiellement tempérés par un dénommé Lucius. L'homme avait été un confident et un ami du père de Hatios, et ce dernier, conscient qu'il s'agissait d'un fin diplomate, en avait fait son conseiller. Lucius était un brave homme, pragmatique et intelligent. Il ne se mêlait jamais aux bacchanales que le roi donnait au château.

Maintes fois, il avait voulu abandonner son poste et se sauver loin de ce roi cruel et égocentrique. Une association secrète, formée de quelques marchands puissants, de membres de l'Église de Ferrol et d'une demi-douzaine de nobles avait pris contact avec lui et l'avait convaincu de demeurer aux côtés du roi afin de tempérer ses actions, pour le bienfait de la population. L'association préparait le terrain en vue d'une éventuelle rébellion, qui aurait lieu si Hatios continuait de diriger le royaume comme un despote. Lucius se faisait vieux et cette tâche lui pesait lourdement sur les épaules. Il parvenait de plus en plus rarement à faire changer le roi d'idée, tout juste réussissait-il à l'occasion à le convaincre de faire certains compromis. Chaque soir, il priait le saint patron du royaume, le dieu de la mer, afin qu'il leur apporte la solution à leurs malheurs. Malgré toutes ses années de prières sans réponses, il ne perdait pas espoir de voir Ferrol leur venir un jour en aide.

Ces derniers temps, Lucius avait l'impression que le roi le gardait à ses côtés parce qu'il était un homme apprécié du peuple. Il ne lui adressait presque plus la parole et il l'appelait seulement lorsqu'il effectuait une sortie publique ou lorsqu'il n'arrivait pas à trouver de solution à un problème particulièrement épineux. L'association secrète devait se rencontrer dans une semaine et Lucius avait décidé de leur demander de le remplacer. Il n'avait plus la force de voir l'entourage du roi maltraité et de constater que les habitants étaient considérés comme des esclaves de la couronne.

Lucius se dirigea d'un pas traînant vers sa chambre, après un repas frugal, pris directement dans les cuisines.

Le vieil homme à la barbe blanche taillée et aux yeux cernés était maintenant trop vieux pour digérer les mets riches que le roi faisait servir à sa table. Chaque soir, il se contentait d'une soupe ou d'un bouillon, accompagné d'un bout de pain et d'un peu de viande. Parvenu à sa chambre, il tira une clé de sa poche et déverrouilla la porte. Un feu brûlait ardemment dans le petit âtre, réchauffant la pièce. Lucius eut une bonne pensée pour sa femme de chambre qui avait allumé le feu. Elle le savait frileux, le sang n'affluant plus comme avant dans ses membres perclus d'arthrite. Lucius alluma une lanterne et approcha son fauteuil du foyer avant de s'y affaler. Le conseiller regarda autour de lui. La petite chambre qu'il occupait depuis tant d'années lui faisait davantage penser à une cellule qu'à un refuge. Il soupira, étendit une couverture de laine sur ses jambes, puis son regard se perdit dans les flammes dansantes. Son esprit vagabonda pendant quelques minutes, alors qu'il se remémorait sa jeunesse à la cour, puis les déboires du royaume, depuis que Hatios avait accédé au trône. Il pensa à cette nuit fatidique où la reine Dalia était morte et où la petite Miranda avait été supposément enlevée. Lucius avait une bonne idée de ce qui s'était réellement passé ce soir-là, grâce, entre autres au grand prêtre de Ferrol, qui lui avait raconté sa visite en catimini chez la reine pour l'avertir que le roi souhaitait sacrifier leur fille. Le grand prêtre était certain que Hatios avait fait tuer la reine ou qu'il l'avait lui-même assassinée. Peut-être avait-il aussi tué sa fille et caché son corps avant d'inventer cette histoire abracadabrante d'enlèvement. Il se souvenait aussi de Torkil, un homme fier, loyal et dévoué, qui avait jadis apporté son aide au royaume en mettant son épée et son bras puissant à son service.

Lucius sentait ses paupières s'alourdir. Il se leva de son fauteuil. Lentement, il se déshabilla avant d'enfiler une épaisse robe de chambre. Comme tous les soirs avant de se mettre au lit, il se dirigea dans un coin de la pièce où se trouvait une petite statue représentant le dieu de la mer. Il alluma d'une main, que la vieillesse faisait trembler, les deux chandelles de chaque côté de la statue, puis il s'agenouilla avec peine sur le coussin de velours rouge, posé à même le sol de pierre. Lucius joignit les mains et ferma les yeux, mettant tout son cœur dans la prière qu'il adressa à Ferrol.

— Saint patron, voyez la souffrance de votre peuple. Accordez-lui, s'il vous plaît, la paix et le bonheur qu'il mérite. Les gens de Ferrolia ne vous ont jamais oublié et vous ont toujours rendu hommage, malgré les propos insidieux de leur monarque. Faites de moi votre instrument si vous le désirez. Je mets mes forces déclinantes à votre service. Je vous en prie, aidez-nous en ces jours sombres.

Lucius se releva, la douleur dans ses vieux genoux le faisant grimacer. Il souffla les deux bougies et se dirigea vers son lit.

Ferrol avait entendu la prière de Lucius, comme celle de nombreux habitants de Ferrolia. Il était déçu de voir ce qu'il advenait du royaume qu'il avait aidé à fonder et il était en colère contre le roi.

— Il faudra bien que je m'en occupe, se dit-il. La Grande Mère nous a interdit de descendre sur Arménis. Je devrai trouver un autre moyen de régler ce problème.

Lucius s'était endormi. Le dieu des eaux le plongea dans un rêve apaisant afin de le soulager de ses soucis. Quand le conseiller se leva, au matin, il se sentit revigoré et plein d'énergie, comme il ne l'avait pas été depuis des années. Il ouvrit toute grande sa fenêtre, laissant pénétrer l'air marin dans sa chambre. Le soleil s'éveillait en même temps que lui, encore tout rouge de sommeil.

— Tiens, le vent a changé de direction, dit Lucius. Espérons que c'est un signe précurseur des changements à venir au sein de Ferrolia.

CHAPITRE VI

LES YEUX DE BRAND

L e royaume de Ferrolia se terminait au sud, loin de la capitale, à l'endroit où la rivière Hendy se jetait dans la mer. Au-delà de la frontière s'étendait une vaste région marécageuse, pratiquement inhabitée, sinon par de multiples batraciens, oiseaux et moustiques piqueurs qui rendaient fous les rares aventuriers qui la traversaient. Ces terres n'étaient revendiquées par aucun souverain ou aucun gouvernement. Les quelques personnes qui s'y étaient installées, dans un coin sec, y vivaient en hommes libres. On comptait parmi eux des gens qui avaient fui la justice ou des esclaves provenant du Sud, parvenus à échapper à leur condition.

Cette bande de terre assez vaste était prise en étau entre deux puissants royaumes. Ferrolia au nord et Brandan au sud. Brandan signifiait *le peuple de Brand,* Brand étant la traduction, dans leur langue, du nom d'Ignès, dieu du feu. Les habitants de ce vaste royaume méridional, les Brandéens, comme ils se faisaient appeler, vénéraient le dieu du feu depuis des temps immémoriaux. La raison en était fort simple. Des centaines d'années auparavant, une tribu s'était établie dans les collines, à l'est de la côte, entre deux monts plus élevés que les autres. Il s'agissait de deux volcans en activité d'où s'échappait en permanence une fumée grise. Pour les Brandéens, il s'agissait là d'une preuve de la présence du dieu du feu parmi eux. Ils étaient convaincus que les deux volcans les protégeraient de leurs ennemis. Ils les nommèrent les Yeux de Brand. Au fil du temps, le village se transforma en ville, celle-ci étendant progressivement son influence sur toute la région. Ils nommèrent Tarsa la capitale de leur nouvel Empire.

Depuis ce temps, les volcans étaient entrés simultanément en éruption à deux reprises, forçant les citadins à évacuer leur ville. En voyant les coulées de lave s'échapper du cratère et descendre les pentes des collines, les shamans avaient interprété ce soubresaut de la nature comme étant une punition envoyée par leur dieu.

— Voyez comment pleurent les Yeux de Brand, disaient-ils.

Les deux fois, la cité fut complètement anéantie, et chaque fois, les Brandéens la reconstruisirent, encore plus grande qu'auparavant, espérant apaiser le courroux du dieu du feu. Cette race guerrière étendit rapidement son Empire. Brandan devint bientôt un nom craint, synonyme de conquête et de pillage. L'Empire était assez étroit au nord, là où se situait la capitale. Il se terminait à l'ouest par les collines qui bordaient la mer, et à l'est, où s'élevait une très ancienne forêt qu'on disait occupée par une colonie d'elfes et de créatures des forêts. Une seule fois, les Brandéens avaient tenté d'y pénétrer en force, mais ils avaient dû rebrousser chemin après y avoir subi d'importantes pertes. L'Empire ne pouvait prendre de l'expansion qu'au sud, et c'est ce qui se produisit. Sur une carte, l'Empire ressemblait à un éventail, lequel s'était déployé en quelques décennies seulement.

Étrangement, Brandan n'avait jamais osé se mesurer à son plus proche voisin, Ferrolia. À quelques reprises, il y avait eu des contacts entre les deux peuples, mais rapidement, la situation s'était envenimée, et depuis, aucun bateau du Nord ne s'arrêtait plus sur les côtes peu hospitalières de Brandan pour y faire du commerce. Était-ce à cause de la mésentente qui régnait entre les patrons de ces royaumes? C'est ce que les gens croyaient. Les Brandéens étaient considérés comme un peuple agressif et d'une fierté frôlant l'arrogance. On disait que les marais entre les deux royaumes étaient la zone tampon, là où le pouvoir de Ferrol et celui d'Ignès se rencontraient et s'annulaient. On y était ni complètement dans l'eau, domaine de Ferrol, ni complètement au sec, sur les roches ignées.

Craignant au plus haut point le dieu des eaux, les Brandéens évitaient de s'aventurer sur la mer. Ils ne construisaient pas de bateau, préférant mener leurs campagnes militaires à pied ou à dos de cheval, et pêchant à l'aide de filets étendus le long de la côte, à marée basse. Ce peuple guerrier au teint très foncé, aux cheveux et aux yeux noirs, possédait une autre particularité. Leur société était matriarcale, contrairement à Ferrolia. Les femmes y occupaient la majorité des postes importants. Leur chef suprême était toujours une femme, la reine. Si elle venait à mourir, son époux ne devenait pas roi, il perdait tous ses pouvoirs et on nommait rapidement une autre femme pour succéder à la défunte reine. La souveraine avait droit de vie ou de mort et on la considérait comme étant investie de l'autorité de Brand, et représentante du dieu sur Arménis. Ses décisions n'étaient jamais remises en cause et on la vénérait presque autant que le dieu lui-même.

La présente souveraine de Brandan se nommait Célias. Elle avait été nommée reine à seize ans et régnait depuis une dizaine d'années. Elle était aimée du peuple, car sous sa férule, l'Empire avait prospéré, s'étirant davantage vers le sud, au détriment des communautés qui y étaient déjà établies. Elle exigeait immanquablement d'eux une reddition sans condition, sans quoi elle balayait avec force toute opposition, massacrant les armées adverses et réduisant le reste de la population à l'esclavage. Il y avait toujours eu des esclaves dans ce royaume, et on disait que le mortier liant les pierres des imposantes constructions de l'Empire, qu'il s'agisse des sophistiqués systèmes d'irrigation ou des ponts, ou encore des murailles protégeant les villes, était principalement composé de la sueur et du sang des esclaves. Près du quart de la population de l'Empire se composait d'esclaves.

Lors de ses conquêtes, la reine Célias ne se contentait pas d'envoyer des armées, elle participait elle-même aux campagnes et prenait plaisir à se lancer personnellement dans la bataille. C'était une guerrière redoutable, maîtresse de la lance et du javelot. Elle avait formé une garde personnelle d'élite, exclusivement composée de femmes guerrières. Cette troupe suivait la reine où qu'elle aille, assurant sa protection lors des batailles et la conseillant en temps de paix. Les vierges de fer, comme on se plaisait à les nommer, ne faisaient pas vœu de chasteté, comme leur nom le laissait croire, mais il leur était interdit de se marier et d'avoir des enfants. Si, par malchance, l'une d'entre elles tombait enceinte, les shamans de Brand s'occupaient de mettre fin à sa grossesse.

Le déluge ayant frappé Arménis n'avait pas épargné l'Empire brandéen. Comme partout ailleurs, troupeaux et récoltes avaient été décimés. La famine s'installait déjà dans les grandes villes, ce qui ne laissait présager rien de bon pour l'hiver à venir. Au début, les shamans crurent que les prêtres de Ferrolia avaient provoqué la colère de leur dieu. Juste avant que la pluie cesse, le sol avait tremblé à Tarsa et on y avait vu la réponse de Brand à l'attaque du dieu des eaux. Ils apprirent plus tard que même le royaume de Ferrol avait été victime de ce cataclysme.

Célias, la reine guerrière, se tenait debout devant son trône en or, une lance du même matériau dans la main. Les Brandéens étaient fascinés par l'or et on en voyait partout au palais. Outre sa lance, la souveraine portait un diadème d'or, ainsi que des bracelets larges. Elle possédait de longs cheveux noirs aux boucles serrées, qui lui descendaient jusqu'au milieu du dos. Son corps svelte aux courbes harmonieuses laissait paraître ses muscles fermes, mais pas suffisamment imposants pour atténuer sa féminité. Contrairement à la majorité des habitants de son peuple, son nez n'était pas épaté, mais droit et étroit. Elle était d'une beauté à couper le souffle et avait une prestance et un charisme hors du commun.

La reine déposa sa lance d'apparat. Un esclave mâle se tenait de chaque côté de son trône, prêt à répondre promptement à ses exigences, quelles qu'elles soient.

Dans la salle du trône, elle avait convoqué quatre des vierges qu'elle considérait comme ses conseillères les plus avisées. Elles discutaient de la situation à travers l'Empire depuis déjà près d'une demi-heure.

— Les temps sont durs pour notre peuple, dit Célias. Si je me fie aux derniers rapports, la famine guette toutes les cités de l'Empire et les fermes ne parviendront pas à produire assez de denrées avant l'hiver pour remédier à la situation. Nous devons agir. Quelles sont nos options ?

— Elles ne sont pas légion, dit Beretta, la doyenne du groupe. C'était la première de toutes à avoir prêté serment comme vierge de fer. Comme vous le dites, nous risquons de manquer de vivres. Nous devons en trouver et seulement deux choix s'offrent à nous : en acquérir par le commerce ou en obtenir par la force.

— Les coffres de l'Empire sont presque pleins, rappela Kyla, l'amante avouée de Beretta, mais nous aurons de la difficulté à trouver quelqu'un avec qui commercer. J'ai entendu dire qu'aucun peuple n'avait été épargné par le déluge. Tous seront dans la même situation que nous.

Beretta jeta un regard à son amante et hocha la tête, reconnaissant la justesse de ses propos. Kyla lui sourit, puis sachant que son amie la regardait toujours, elle porta son regard sur l'un des esclaves, près de la reine. Il s'agissait d'un homme jeune et grand, au visage glabre et aux yeux pétillants. Il avait été capturé par une patrouille, au-delà de la frontière nord, près des marais. Beretta plissa les yeux quand elle vit l'intérêt que son amante portait au jeune homme. Kyla ne se gênait pas pour partager son lit avec des hommes, autant qu'avec des femmes. La fidélité n'était pas sa plus grande qualité. Elle se tourna vers Beretta et lui sourit de nouveau. Elle comprit qu'elle avait atteint son but quand elle vit la jalousie assombrir le regard de Beretta.

— Il nous reste donc une seule solution, nous procurer des vivres par la force, dit Célias.

— Qui attaquerons-nous ? demanda Beretta en reportant son attention sur les problèmes beaucoup plus importants de l'Empire, plutôt que de songer à ses préoccupations sentimentales. Au nord, il y a les marais, ils sont presque infranchissables, et au-delà, il y a Ferrolia, qui est une grande puissance. Au sud, notre Empire s'étire jusqu'au désert. Nous avons tout conquis dans cette direction, à part les cavernes du clan de nains des Marteaux d'argent, et à l'est, la forêt des elfes s'y trouve toujours. À l'ouest, il n'y a que la mer.

— Je propose d'attaquer les elfes, avança Kyla. Ce sont les derniers à nous avoir résisté et cela ne doit pas demeurer impuni. Les nains vont se terrer dans leurs cavernes et nous ne parviendrons pas à les en tirer. De plus, il s'agit d'un clan relativement petit. Nous n'y trouverons pas de denrées en quantité suffisante pour approvisionner les cités.

La reine hocha la tête, appuyant les propos de la vierge de fer. Elle s'assit sur son large trône et son regard se perdit au loin. Ses longs ongles tambourinaient sur le bras du trône, alors qu'elle réfléchissait.

— Une attaque en force nous coûtera cher en or et en nourriture ; toutefois, je crains que nous n'ayons d'autres choix.

Nous allons envoyer plus de gens le long de la côte. Que la moitié des fermiers qui ont tout perdu soient recyclés en pêcheurs. S'il y a une chose dont nous ne manquerons pas, c'est bien de poisson. Les autres demeureront dans les champs pour prêter main-forte à ceux qui ont encore des terres arables et du bétail. Cela me fait mal au cœur, mais nous devrons aussi reconduire plusieurs esclaves hors de nos frontières. Moins d'esclaves, ça signifie moins de bouches à nourrir. Je préfère m'occuper de mon peuple en premier. Beretta, occupe-toi de transmettre ces ordres.

— Et pour l'attaque? demanda la doyenne qui s'intéressait davantage à la guerre qu'à la gestion des ressources de l'Empire.

Célias demeura quelques instants silencieuse, alors qu'elle élaborait un plan dans son esprit de guerrière. Finalement, elle releva la tête et sourit aux quatre femmes assemblées.

— Nous allons préparer notre armée. Dans un mois, nous prenons la route vers l'est.

— Nous attaquerons donc les elfes dans leur forêt? demanda Beretta.

La reine secoua la tête.

— Non, les elfes n'ont pas de bétail. Nous passerons entre la forêt et les collines en bifurquant vers le Nord. Le dieu de la mer ne semble plus appuyer son peuple comme auparavant, sans quoi il n'aurait jamais toléré qu'il soit, comme nous, noyé sous ses eaux. C'est le moment d'en profiter et d'attaquer ce royaume.

Les yeux de Beretta brillèrent d'excitation à la perspective de se mesurer enfin au réputé royaume de Ferrolia.

Kyla, de son côté demeura songeuse. Soit ! Ferrol n'appuyait peut-être plus son peuple, mais Brand n'avait pas fait mieux pour Brandan. Elle se promit d'en parler avec les shamans et de leur demander discrètement leur opinion à propos de cette campagne.

CHAPITRE VII

L'ENFANT DIEU

Agizel eut bien peu de temps pour dorloter son jeune frère Culcuth, le second du nom, futur dieu de la mort, né à peine une semaine auparavant. Le bébé aux cuisses potelées et aux doigts boudinés vieillissait à un rythme excessivement rapide. Comparativement à un enfant humain, il vieillissait d'un an par journée écoulée sur Arménis.

L'enfant dieu passait la plupart de son temps avec la déesse de la vie, qui lui avait déjà enseigné à lire et à écrire. Culcuth était comme une éponge, gobant toutes les connaissances qu'on lui transmettait. Il avait une excellente mémoire. Il résidait dans la demeure d'Agizel, la Dame Blanche ayant décrété qu'il pourrait prendre possession du domaine de son prédécesseur, mais seulement lorsqu'il aurait atteint sa majorité. À la vitesse avec laquelle il grandissait, il fallait s'attendre à ce que les fidèles du dieu de la mort puissent vénérer leur nouveau dieu dans environ deux semaines. Il n'avait presque jamais revu sa mère. La Dame Blanche préférait limiter les contacts avec lui, car elle ne voulait pas que l'enfant soit dépendant d'elle, notamment parce qu'elle devait partir bientôt.

D'autres dieux venaient compléter l'éducation de Culcuth, chacun expliquant les complexités de son domaine. Forgia, dieu du pardon, était le dieu masculin le plus proche de l'enfant. Il aimait le taquiner en l'appelant sarcastiquement « vieil oncle ». Culcuth n'avait généralement pas de difficultés à bien comprendre l'étendue des responsabilités et des pouvoirs des autres dieux. Il était d'une vivacité d'esprit étonnante, même pour un dieu. Il avait pourtant du mal à comprendre deux champs d'activité. D'abord, celui d'Étopos, déesse du chaos. On lui avait enseigné que les dieux devaient s'abstenir de répandre le mal ; pourtant, il ne savait pas comment Étopos pouvait semer le chaos sans faire intervenir le mal. L'autre domaine qui demeurait un mystère à ses yeux était celui opposé à Étopos, le domaine de l'ordre et de la justice, que contrôlait Libra.

Culcuth était de ces enfants qui ne peuvent trouver le repos, tant qu'une question accapare leur esprit. Il décida donc de rendre visite à Libra, après avoir préalablement demandé la permission à Agizel, qui lui donna sans rechigner. Libra avait beaucoup aidé la déesse à éduquer l'enfant. Agizel devait reconnaître qu'elle parvenait difficilement à discipliner le bambin. Libra, elle, y était parvenue, non sans regret, et elle avait bien fait comprendre à Agizel les dangers que représente le fait de combler tous les désirs de Culcuth. Comme tous les enfants, il testait sans cesse les limites des autres dieux ; cela faisait partie de son apprentissage. Agizel fit les efforts nécessaires pour remédier à son manque de discipline. Malgré le cadre que Libra lui imposait, Culcuth aimait bien la déesse de la justice. Il la savait inflexible, mais juste, capable tout autant de le récompenser que de le punir.

Libra accueillit son jeune frère avec joie. Elle le questionna sur sa formation, sur ce qui l'amusait et l'intéressait et sur ce qu'il aimait un peu moins. Il lui confia les raisons de sa visite. Quand il eut terminé de formuler ses questions, Libra demeura quelques instants à l'observer.

— As-tu déjà interrogé Agizel à ce sujet ? demanda-t-elle, alors qu'un sourire bienveillant étirait ses lèvres roses.

— Non, avoua l'enfant dieu en baissant les yeux, un peu honteux. J'aime infiniment Agizel, mais elle me traite comme un bébé. J'imagine qu'elle me dira que je comprendrai lorsque je serai plus grand, mais je veux savoir maintenant. Toi, tu as toujours répondu sans détour aux questions que je t'ai posées.

— Je vois, répondit Libra. Laisse-moi d'abord te dire que tu ne devrais pas anticiper les réponses d'Agizel. Tu pourrais être surpris, crois-moi. Parmi les dieux, c'est elle qui possède le plus de connaissances et de sens commun. Tu devrais te fier à son jugement. Toutefois, c'est avec plaisir que je t'aiderai à éclaircir les notions de bien et de mal, et celles de l'ordre et du chaos, en fonction de mes capacités.

Culcuth releva ses yeux noirs qu'il fixa dans ceux de la déesse de la justice. Il attendait avec intérêt ses explications.

— Je ne pourrai malheureusement pas te donner une idée claire des concepts que tu peines à comprendre. Ce n'est pas tout blanc ou tout noir. Prends l'exemple du feu, le domaine d'Ignès. Ce concept est facile à assimiler, car il est concret. On peut toucher le feu et le voir, sentir la chaleur qui s'en dégage. Les autres domaines sont tout aussi faciles à comprendre. Tu n'aurais sûrement pas de problème à m'expliquer ce qu'est la vie, la mort, la nature, l'air, l'eau, même l'art, n'est-ce pas?

— Non, c'est facile à comprendre.

— Bien, reprit Libra. Il n'en va pas de même en ce qui concerne l'ordre ou le chaos, ou le bien et le mal. Ce sont des concepts qui peuvent être perçus différemment d'un individu à l'autre. Je vais illustrer mon propos à l'aide d'une histoire dont m'a déjà fait part Maracon. Il y a des cerfs qui vivent dans le nord d'Arménis. L'été, ils gambadent dans les bois et les champs et trouvent de la nourriture sans peine. Pendant l'hiver, ils doivent creuser dans la neige afin de trouver leur pitance ou encore ils mangent l'écorce et les bourgeons que l'épaisse couche de neige met à leur portée. Tu me suis jusque-là?

Culcuth hocha la tête.

«Il est déjà arrivé, poursuivit la déesse, lors d'un hiver où il était tombé une quantité inhabituelle de neige, que les cerfs manquent de nourriture. Plusieurs bêtes moururent de faim et les troupeaux furent décimés de moitié. Un prêtre de Maracon, voulant leur venir en aide, alla acheter une grosse quantité de foin séché qu'avait récolté un fermier pour ses vaches et ses moutons. Le prêtre se rendit dans les bois et il donna le foin aux cerfs qui ne se firent pas prier pour remplir leur panse vide. Une semaine après, la plupart des bêtes qu'il avait nourries moururent ou tombèrent gravement malades. Le prêtre ne savait pas que le système digestif des cerfs change au cours des saisons et que le foin qu'il leur avait donné et qui les aurait bien nourris en été, équivalait pour eux à une dose de poison en hiver. Ainsi, plus de cerfs moururent que s'il avait laissé la nature suivre son cours. Que retiens-tu de cette histoire ? »

Culcuth demeura pensif quelques secondes avant de répondre.

— Qu'il ne faut pas se substituer à la nature ?

— En effet, c'est la dure leçon qu'a apprise le prêtre, mais il y a autre chose, en lien avec les interrogations dont tu m'as fait part.

L'enfant fronça les sourcils et pinça les lèvres. Finalement, il dut s'avouer vaincu, il ne connaissait pas la réponse. Il regarda Libra et haussa les épaules, gêné de ne pas avoir compris la leçon.

Voyant son expression contrite, Libra éclata de rire. Culcuth sourit en voyant qu'elle n'était pas déçue qu'il n'ait rien répondu.

— Ne t'en fais pas, dit-elle pour le rassurer. Tu ne dois jamais te sentir honteux si tu ne comprends pas quelque chose. Reconnaître ses lacunes ou accepter ses torts, c'est déjà un bon bout de chemin de fait vers la sagesse et le bien. Je vais te poser une autre question pour t'aider à comprendre. Le prêtre a-t-il fait le bien ou le mal en donnant du foin aux cerfs ?

— Le mal, répondit aussitôt le garçon, puisque plusieurs créatures sont mortes avant leur temps à cause de son intervention.

— D'accord, concéda Libra. Et quelle était la motivation du prêtre à nourrir ces bêtes ?

— Il voulait les aider…

Culcuth s'arrêta en plein milieu de sa phrase et Libra sourit derechef lorsqu'elle vit son visage s'illuminer, montrant ainsi qu'il venait de comprendre.

«Il était convaincu de faire le bien, conclut Culcuth.»

— Voilà, tu as compris. Parfois, la frontière entre les deux concepts est très ténue. En tant que déesse de la justice, lors de mes jugements, il est de mon devoir de considérer non seulement les résultats des actes posés, mais aussi leurs motivations. Parfois, pas toujours, certaines circonstances peuvent atténuer la gravité d'un acte qui aurait pu nous sembler abject. Tu comprends?

— Je crois que oui, dis l'enfant. Comment fais-tu, lorsque tu possèdes tous les éléments, pour porter un jugement sans te tromper?

— Judicieuse question, le félicita Libra. Je peux toujours me servir de mon Orbe de vérité, mais quand arrive l'heure du jugement et de la sentence, je me sers de deux outils.

— Lesquels? demanda Culcuth, excité.

La déesse de la justice lui avait déjà montré l'Orbe de vérité et lui avait déjà expliqué comment il fonctionnait. Il s'attendait à voir Libra sortir d'autres objets magiques de ses poches.

La déesse appliqua son index sur sa poitrine, puis sur son front.

— J'utilise ça et ça, précisa-t-elle, au grand désarroi de Culcuth. Je me sers bien sûr de ma tête, mais aussi de mon cœur. Ce n'est qu'en conciliant ce que me dit l'un et l'autre que je peux porter un jugement éclairé et ne jamais éprouver de remords. Par contre, nous avons beau être des dieux, nous ne sommes pas infaillibles et chacun de nous peut un jour ou l'autre commettre une erreur.

— Comme le premier Culcuth? demanda le garçon avec toute l'innocence des enfants de son âge.

— J'ai bien peur que ton prédécesseur ait commis bien plus qu'une erreur. Il était très intelligent, mais il a laissé ses sentiments prendre le dessus sur son bon sens. Si tu le veux, un de ces jours, je pourrai t'en parler, mais pour le moment, tu as des choses plus urgentes et plus pratiques à apprendre.

Le garçon acquiesça. Il sursauta quand un éclair blanc illumina la pièce. Culcuth cligna des paupières avant de s'apercevoir que la lumière résultait de l'arrivée de Ferrol, dieu des eaux. Libra regarda son frère, et juste à son regard assombri, elle devina que quelque chose n'allait pas.

— Bonjour, Libra, il faut que je te parle, annonça-t-il sans plus de préambule. Ah! Bonjour, Culcuth, je ne t'avais pas vu. Est-ce que je vous dérange?

— Non, s'empressa de dire Culcuth en se levant de son siège. J'étais venu demander conseil à Libra et elle a répondu à mes questions. Il faut que je réfléchisse à tout ça. Merci pour tout, Libra, et à bientôt. Au revoir Ferrol.

— N'hésite pas à venir me visiter si tu penses que je peux t'aider. Tu peux aussi venir me voir pour bavarder un brin, dit Libra en passant une main dans les cheveux de l'enfant dieu, qui lui fit un sourire avant de quitter les lieux, laissant Libra et son frère seuls.

— Agizel l'élève bien, remarqua le dieu. Tout jeune, et déjà, il sait être discret et s'effacer quand c'est nécessaire.

— Il est très intelligent, ce garçon, je l'adore. Revenons, si tu le veux bien, au but de ta visite. À voir ton attitude, je devine que tout ne va pas comme tu le souhaites. Y a-t-il quelque chose que je puisse faire pour t'aider?

— J'aimerais connaître ton avis concernant une situation qui me turlupine sur Arménis, dit Ferrol d'un ton un peu bourru.

La déesse de la justice ne se formalisa pas de l'attitude de son frère. Déjà, elle reconnaissait les immenses pas vers l'avant qu'avait faits le dieu. Le Ferrol antédiluvien et celui d'aujourd'hui différaient grandement. Jamais, auparavant, il n'aurait osé consulter un autre dieu; il aurait fait cavalier seul, sans se soucier des conséquences de ses gestes. Libra était trop contente de constater qu'il avait changé pour le rabrouer à propos du ton qu'il prenait.

— Je suis flattée que tu viennes me consulter, dit-elle pour l'encourager. Qu'est-ce qui te tracasse?

— C'est à propos du royaume de Ferrolia. Tu n'es pas sans savoir que ce petit bout de terre m'a toujours tenu à cœur. C'est là où je compte le plus de fidèles.

Libra acquiesça et attendit la suite.

«J'ai été patient, peut-être même trop. Le tyran qui règne sur le royaume qui porte mon nom dépasse les bornes. Il y a quelques années, il a tué l'un de mes prêtres. Il nuit à mon culte par tous les moyens possibles, répandant des calomnies à son sujet, à qui veut bien l'entendre. Si seulement ce n'était que ça ; mon Église est assez forte pour lui résister, mais depuis le déluge, alors que maintenant la famine menace le peuple, il dépouille les pauvres, les torture et les tue, tout ça afin de conserver le même rythme de vie qu'auparavant. Ça ne peut plus durer. Le royaume doit se débarrasser de ce despote, les gens, là-bas, méritent mieux que ça. »

— Que comptes-tu faire ? demanda Libra, même si elle se doutait un peu de la réponse.

— C'est pour ça que je suis venu te consulter. Avant, je serais débarqué là-bas et j'aurais moi-même châtié cet homme, ce Hatios, mais notre mère nous a bien avertis qu'il nous était dorénavant interdit de nous rendre sur Arménis. Si seulement ce tyran allait en mer, je pourrais provoquer une tempête telle que son navire sombrerait. J'aurais bien d'autres idées, mais cela implique la mort d'innocents, ce que je veux éviter. Je ne sais pas trop où se situe la limite des interventions permises par notre mère.

— Je vois, dit Libra en se frottant le menton, songeuse. En résumé, tu as quelques idées pour intervenir sur Arménis, mais tu crains que ces actions ne dépassent le cadre des restrictions que nous a imposées notre mère ?

Ferrol hocha la tête, son froncement de sourcils faisant apparaître deux rides verticales sur son front, juste au-dessus de son nez.

— Pour ma part, je ne vois pas pourquoi tu n'interviendrais pas, du moment que des innocents n'en souffrent pas. Ça me semble être pour une bonne cause.

J'ai une idée! s'exclama soudainement la déesse, alors que son visage s'éclairait. Profitons du fait que notre mère se trouve toujours parmi nous. Soumets-lui tes idées. Ce qu'elle nous dira risque fort de m'être tout aussi utile qu'à toi lorsqu'elle nous aura quittés et qu'il m'incombera de porter des jugements sur nos actes.

— Tu crois que c'est nécessaire? demanda Ferrol, qui n'osa pas avouer qu'il se sentait toujours un peu mal à l'aise face à sa mère. Le fait de savoir qu'elle pouvait connaître chacune de ses pensées lui donnait des frissons dans le dos.

Libra se contenta de hocher la tête. Le dieu de la mer se résigna et ils disparurent de la pièce.

CHAPITRE VIII

CONSEILS

L'homme encapuchonné avançait silencieusement dans la nuit fraîche, dissimulé non seulement par ses vêtements, mais aussi par l'épais brouillard qui recouvrait Ferrolia. Il aurait souhaité que ses pas ne résonnent pas autant sur les pierres du chemin qui le conduisait à l'endroit de son rendez-vous secret. Il se demanda s'ils étaient plusieurs comme lui, par cette sinistre nuit, à errer secrètement dans les rues de la capitale du royaume. Il imagina de jeunes hommes se rendant à des rendez-vous galants, avec des personnes que leurs familles leur interdisaient de voir ; des voleurs se cachaient dans les ruelles, à l'affût d'une proie. Il espérait ne pas être attaqué. À cette pensée, un tremblement secoua ses vieux os. Il resserra le col de son manteau et accéléra le pas.

Après quelques minutes, il devina, plus qu'il ne vit, l'immense silhouette du temple de Ferrol qui se dressait devant lui. Il se retourna, s'assurant qu'il n'avait pas été suivi, puis il emprunta une petite ruelle adjacente, à sa droite. Après avoir jeté un autre coup d'œil aux alentours, il gravit un petit escalier et frappa trois coups lents, suivis de trois coups plus rapides. Il ne le savait pas, mais il faisait exactement le même trajet que Hatios avait fait, plus de douze ans auparavant, alors qu'il était venu consulter le grand prêtre de Ferrol en cachette.

La coupure définitive entre la couronne et le culte du dieu des eaux s'était produite à la suite de cette rencontre.

La porte s'ouvrit dans un grincement lugubre et l'homme se faufila rapidement à l'intérieur. Un prêtre, silencieux comme une tombe, le conduisit jusqu'à une salle où d'immenses chandelles éclairaient une table où siégeaient six individus au visage sombre. L'homme rejeta vers l'arrière le capuchon qui dissimulait ses traits, puis enleva son manteau, qu'il déposa sans cérémonie sur le dossier d'une chaise. D'un signe de tête, il salua chacune des personnes présentes, avant de s'asseoir à son tour. Il constata qu'il était le dernier arrivé. Devant lui se trouvait Ulbar, grand prêtre de Ferrol. À sa droite, il y avait Savanna, une baronne, et Ronaldo, un riche marchand. Sur sa gauche, trois chaises étaient occupées. On y retrouvait deux autres nobles et Mélénil, un érudit, qui cumulait les fonctions de scribe et de juge. Il savait aussi lancer quelques sorts peu puissants qui lui valaient également le titre de magicien.

— Bienvenue, Lucius, déclara le grand prêtre de Ferrol qui présidait cette réunion secrète. Heureux de voir que vous avez pu vous libérer de vos tâches de conseiller au château.

— Le roi s'est absenté pour quelques jours, il m'a été plus facile de m'éclipser, expliqua le vieil homme.

— Où est-il parti ? demanda la baronne Savanna en se frottant nerveusement les mains.

Ces rencontres la rendaient toujours mal à l'aise, elle craignait continuellement que les soldats du roi n'enfoncent la porte. On pourrait aisément les accuser de trahison et Savanna savait trop bien quelle serait la punition que leur infligerait Hatios pour une telle offense. Elle n'avait pas envie d'être décapitée d'un coup de hache du bourreau.

— Officiellement, il est parti avec une cinquantaine de soldats afin d'aller jeter un coup d'œil aux dégâts que les pluies ont causés au nord de la capitale. En réalité, je crois plutôt qu'il est allé rendre visite à la baronne Verbeeg. Ce n'est plus un secret à la cour. Il en a fait son amante depuis quelque temps.

— Je serais porté à lui pardonner ses incartades extraconjugales s'il s'occupait convenablement de son peuple, intervint Ulbar d'un ton cassant. C'est d'ailleurs pour cette raison que nous nous sommes réunis ce soir.

— Ou plutôt cette nuit, fit remarquer Mélénil en étouffant un bâillement.

— Je m'excuse pour cette heure incongrue, se défendit le grand prêtre, mais il faut éviter de nous faire surprendre.

Mélénil balaya l'air d'une main, indiquant qu'il comprenait très bien les motivations du représentant de Ferrol.

— Notre conseil secret se réunit sporadiquement depuis près de cinq ans. Nous tentons, par tous les moyens, d'atténuer le mal qu'inflige Hatios à notre peuple, et ce, partout dans le royaume. Notre plus grand atout est la présence parmi nous de Lucius, conseiller du roi et figure respectée au château. Par contre, je tiens à préciser qu'il ne s'agit pas là de minimiser d'aucune façon l'apport de chacun de vous à notre cause.

Lucius hocha la tête pour le remercier du compliment.

— Nous n'avons jamais parlé de nous débarrasser de Hatios de quelque manière que ce soit, et en ce sens, je ne nous ai jamais considérés comme des traîtres à la couronne, ajouta le prêtre. Je n'ai pas à vous rappeler toutes les horreurs commises par le souverain, à commencer par une multitude de meurtres gratuits, comme celui de l'un de mes prêtres ou l'assassinat de la reine Dalia. Peut-être a-t-il aussi tué Miranda, sa fille, quoiqu'elle n'ait jamais été retrouvée. Je me demande aujourd'hui si nous ne devrions pas réviser notre position.

Un silence plana pendant quelques secondes sur la pièce, le temps que tous réalisent que le grand prêtre envisageait peut-être un soulèvement contre leur monarque. Plusieurs remuèrent d'inconfort sur leurs chaises, pourtant bien rembourrées.

— Ne soyons pas hypocrites, reprit Mélénil, nous devons avouer que cette idée nous a tous traversé l'esprit à un moment ou à un autre. Toutefois, de là à le faire…

— Je ne dis pas que nous devons assassiner le roi ou l'exiler, rien de tout ça, du moins pour le moment, nuança le grand prêtre en reculant sur sa chaise et en se passant une main sur la nuque. Je veux juste que nous considérions les derniers événements. Hatios agit de plus en plus en despote. Il est en train de transformer ses soldats en bandits ; ils vont piller les villages en son nom afin qu'il puisse financer ses nombreux bals et donner ses fastes réceptions. Le peuple souffre dans le royaume entier, peut-être même encore plus ici, dans la capitale.

— J'essaie pourtant de le ramener à de meilleurs sentiments, déclara Lucius en secouant la tête, mais il ne porte plus une oreille attentive à mes conseils, comme c'était le cas autrefois. Je ne suis plus, au château, qu'un vieillard qui rappelle aux gens une époque révolue, un peu comme une peinture ou un bibelot.

— Personne ici ne met en doute vos efforts, Lucius, dit l'un des nobles sur place, un homme de moins de trente ans dénommé Joshua. Vous en avez déjà fait énormément. Il est temps que d'autres viennent vous soulager de votre fardeau.

— Et que proposez-vous ? demanda Mélénil.

— Chassons Hatios de son trône, répondit le fougueux noble en levant le poing.

— Bien, reprit le magicien, supposons que nous parvenions à échafauder un plan pour nous débarrasser du roi et que nous réussissions. Que se passera-t-il ensuite ? Nous risquons de plonger le royaume dans l'anarchie s'il n'y a aucun dirigeant pour le remplacer. Qui succédera à Hatios sur le trône ? Dois-je vous rappeler qu'il n'a pas de descendant ?

— J'en suis conscient, reprit Joshua. Je me dis seulement qu'il devient urgent d'intervenir, avant que Hatios ruine Ferrolia.

— Lucius pourrait lui succéder comme intendant, le temps que nous lui trouvions un successeur.

Lucius émit un petit rire qui ressemblait quasiment à un toussotement.

— Non, merci, je suis trop vieux et je n'ai plus l'énergie que j'avais autrefois. Je n'ai pas la force d'assumer une telle responsabilité et j'ai encore moins les compétences pour le faire.

— Pour les forces, je vous l'accorde, vous êtes trop vieux, fit Mélénil pour le taquiner. Mais en ce qui concerne les compétences, je dois vous dire que je suis en total désaccord. Vous possédez l'intelligence et le bon sens pour faire cent fois mieux que Hatios.

— Nous pourrions simplement abolir la monarchie, suggéra Savanna. Le royaume de Ferrolia pourrait devenir un État dirigé par un conseil ou quelque chose du genre.

Le grand prêtre de Ferrol leva les mains pour demander le silence.

— N'allons pas trop vite, mes amis. Avant de décider quoi que ce soit, il faut y réfléchir. Nous devons nous assurer que les décisions que nous prendrons ne plongeront pas le royaume dans le chaos, comme l'a fait remarquer Mélénil. Allons-y étape par étape. Premièrement, nous semblons tous d'accord pour dire que Hatios a causé déjà trop de torts à son peuple et que nous devons agir, n'est-ce pas?

Toutes les personnes présentes approuvèrent les dires d'Ulbar.

— Nous devons également nous assurer de l'appui de la majorité de la population, quelles que soient les actions que nous poserons. Nous devons rallier les riches, les pauvres, les pêcheurs et les citadins à notre cause.

— Nous ne réaliserons pas un tel exploit en quelques jours, fit observer Lucius. C'est un travail de longue haleine.

— En effet, dit le grand prêtre. D'autre part, je ne peux mettre de côté le fait qu'Hatios a été couronné dans l'océan, selon le rite sacré de Ferrol. En conspirant contre lui, je veux m'assurer que nous ne mettrons pas notre dieu en colère.

— Ferrol n'approuve sûrement pas ces actes barbares. Cela me semble impensable, fit remarquer Joshua en secouant la tête.

— J'en serais également étonné, mais il ne faut pas présumer de la volonté d'un dieu. Laissez-moi quelques jours pour prier. Ferrol m'enverra peut-être un signe afin de me guider. Je propose que nous nous retrouvions ici dans une semaine, jour pour jour.

Les membres du conseil secret signalèrent leur accord, puis chacun quitta le temple de Ferrol afin de regagner son logis. Lucius pensait déjà au feu brûlant dans l'âtre de sa chambre, mais avant d'y arriver, il devait de nouveau plonger dans le brouillard qui glaçait ses vieux os.

La Dame Blanche demeura songeuse un moment, alors que Libra et Ferrol attendaient patiemment son avis. Ferrol lui avait confié ses tracas. Il souhaitait intervenir dès que possible, afin d'apaiser rapidement les souffrances du peuple de Ferrolia.

— Les gens de ce royaume ne sont pas les seuls à souffrir ni les premiers à être dirigés par un homme aux mœurs douteuses, loin de là, affirma l'ultime déesse en fixant son regard opalescent dans celui de son fils.

Nous devons éviter d'intervenir chaque fois qu'il se passe quelque chose qui ne nous plaît pas sur Arménis. Par ailleurs, nous ne devons pas oublier notre rôle de berger et devons guider notre troupeau.

Ferrol fronça les sourcils, attendant la suite. La Dame Blanche regarda tour à tour ses deux enfants. Un sourire étira ses lèvres.

— Il y a une idée qui me trotte dans la tête depuis la fin du déluge. Je ne sais pas si mon plan pourra t'être utile, Ferrol, mais ça pourrait être intéressant.

La Grande Mère garda le silence quelques secondes de plus.

«D'accord, dit-elle. Je crois que le moment est venu... Venez avec moi, je vais vous expliquer quelque chose. J'aurai besoin de votre aide, et de celle de Viernet.»

Libra jeta un regard interrogateur à son frère qui se contenta de hausser les épaules.

CHAPITRE IX

LE REVENANT

Servia commençait à perdre patience, même si le *Geignard* avait quitté Janaéra depuis quatre jours seulement. Non pas que les matelots ne la traitaient pas bien, au contraire. Elle avait beau leur demander de s'adresser à elle comme à n'importe quel passager, les marins ne pouvaient s'enlever de la tête qu'elle était la princesse de Ferrolia, l'héritière du trône. Ils étaient visiblement embarrassés et n'osaient pas converser avec elle. Les plus timides allaient même jusqu'à faire des courbettes sur son passage. Elle avait dû leur ordonner de ne pas agir ainsi, ce qui les avait mis encore plus mal à l'aise. Elle avait eu droit à un répit lorsque le navire avait fait escale à Furtac et à Carbelton. En ville, les gens la voyaient comme n'importe quelle fille de son âge. Le capitaine Darius avait bien averti son équipage de ne pas dévoiler l'identité des passagers du *Geignard* à qui que ce soit, et ce, à la demande de Servia, qui tenait à arriver à Ferrolia incognito. Pour s'assurer de leur discrétion, même lorsqu'ils mettaient le pied à terre pour passer quelques heures dans une taverne, il les obligeait à se déplacer deux par deux afin que chacun puisse surveiller le matelot avec qui il était jumelé.

Heureusement, il y avait Keiko, Darius et Paolo, le second, avec qui elle pouvait entretenir une conversation presque normale, ainsi qu'avec Hugo, qui n'était pas un sujet de Ferrolia, et qui se souciait peu du protocole et de l'étiquette. Il en était de même avec l'homme qu'ils avaient sauvé des griffes des prophètes à Janaéra. Ce jour-là, n'en pouvant plus des salamalecs de quelques irréductibles marins, Servia descendit dans la cale pour passer quelques moments avec Brega. Elle allait le visiter plusieurs fois par jour, souvent en compagnie de Keiko. Cette fois, le jeune homme ne l'accompagnait pas. Il était occupé à lire un livre que lui avait prêté Paolo, qui racontait l'histoire d'un prince qui avait dû traverser d'innombrables dangers afin de secourir son amoureuse. Servia l'avait lu aussi. Même si les livres étaient relativement rares, Thomas, son père, possédait un exemplaire de celui-ci. Keiko lisait un livre de fiction pour la première fois, et cela le fascinait.

En arrivant près de Brega, Servia remarqua que l'âne avait été bien nourri. Il avait du foin en quantité et il restait encore un peu d'avoine dans son auge. La bête gardait la tête basse. Ses longues oreilles velues pendaient de chaque côté de sa tête, lui donnant un air misérable. Servia en ressentit un pincement au cœur.

— Mon pauvre Brega, dit-elle. Je n'aime pas te voir aussi triste. Je sais que tu n'aimes pas la mer et que tu préférerais à tout le moins être sur le pont, à l'air pur, mais l'espace est restreint là haut. Si ça peut te réconforter, nous avançons rapidement vers le Sud, et ce, depuis notre départ. La mer est calme et les vents nous sont favorables. Nous avons déjà presque la moitié du trajet de fait. De plus, nous ne nous rendrons pas à la capitale.

Nous débarquerons à la limite nord du royaume et nous ferons le reste du trajet à pied.

Brega ramena ses oreilles vers l'arrière, montrant clairement que les paroles de Servia ne l'encourageaient guère. La jeune fille vint appuyer son visage contre le museau de velours de l'animal et lui gratta les joues.

«Nous n'avons pas eu le choix, Brega; ne m'en veut pas. Il fallait fuir Janaéra en vitesse. Je te promets qu'après ce voyage, je ne t'embarquerai plus sur un bateau sans que tu le veuilles.»

Le petit équidé se laissa amadouer par la voix douce et les caresses de sa maîtresse. Il s'avança autant que sa corde le lui permettait et appuya sa tête contre l'épaule de la jeune fille.

Quand Servia revint sur le pont, elle trouva Keiko assis à la proue, adossé contre la rambarde, le nez toujours plongé dans son livre. Elle vint s'asseoir à ses côtés. Keiko leva les yeux vers elle, lui sourit, puis ferma son bouquin, et attira son amie plus près de lui, en passant son bras autour de ses épaules. Il allait lui donner un baiser sur la joue, mais la jeune fille se retourna vivement, de manière à ce que leurs lèvres se rencontrent. Keiko recula quelques secondes après ce baiser, et regarda autour de lui. Il aperçut deux matelots qui lui sourirent et il rougit jusqu'à la racine des cheveux.

— Ne sois pas mal à l'aise, le réprimanda gentiment Servia. Nous avons le droit de nous embrasser, il n'y a rien de mal là-dedans.

— Je n'y peux rien, j'ai l'impression de me donner en spectacle, dit Keiko.

— C'est ridicule, répliqua Servia en saisissant la tête de son ami entre ses mains, avant de lui donner un autre baiser sur la bouche.

— Pardonnez-moi de vous déranger.

Le couple leva les yeux et aperçut Paolo, qui les regardait avec un sourire à peine réprimé. Keiko rougit derechef.

— Le capitaine nous invite tous les trois à partager son repas, poursuivit le second.

— Avec plaisir, dit Keiko, qui se releva prestement ; puis, il tendit galamment une main à sa compagne afin de l'aider à se mettre debout.

Keiko réalisa qu'il devait être passé midi. Totalement absorbé par sa lecture, il n'avait même pas entendu les plaintes répétées de son estomac. Il réalisa qu'il avait une faim de loup.

Darius les accueillit avec joie et les invita à s'asseoir autour de la petite table clouée au plancher, au centre de sa cabine. Les quatre convives partagèrent du pain et un ragoût de bœuf. Keiko entamait sa seconde assiette lorsqu'une voix les fit sursauter.

— Bonjour, Servia ; bonjour, Keiko.

Darius et Paolo bondirent sur leurs pieds, la main sur la garde de leur épée, lorsqu'ils virent un inconnu aux longs cheveux foncés, vêtu d'une toge blanche, qui se tenait derrière eux, près de la couchette du capitaine.

Comment cet homme est-il arrivé ici ? se demanda Darius. *Comment est-il entré sans que nous le voyions et comment est-il monté à bord ?*

Servia et Keiko, les yeux ronds, avaient reconnu le visiteur.

— Viernet ? C'est bien toi ? demanda Servia.

Le visiteur hocha la tête.

— Comment es-tu parvenu jusqu'ici ? La dernière fois que nous t'avons vu, tu te battais contre le sphinx, puis tu as disparu.

— Vous connaissez cet homme ? demanda le capitaine, qui ne cessait de fixer Viernet, méfiant.

Servia n'eut pas le temps de répondre.

— Je vous expliquerai une autre fois. Pour l'instant, vous devez m'écouter. Vous ne voyez que mon image, je ne suis pas vraiment parmi vous, précisa Viernet. Je ne puis vous accorder que quelques secondes.

Keiko remarqua que le corps du visiteur se faisait de plus en plus translucide. Il commençait à voir à travers lui.

— J'ai un message pour vous deux, et pour le capitaine, dit Viernet. Servia et Keiko, vous devez sans attendre vous rendre à la chute de la Dame-Blanche, c'est très important. Capitaine, ajouta-t-il en se tournant vers Darius, je présume que vous en connaissez l'emplacement ? Veuillez y conduire mes deux amis, s'il vous plaît.

— Je connais l'endroit, mais…

— Au revoir, dit Viernet, juste avant de disparaître et de laisser les quatre convives sidérés, muets d'étonnement.

— Je vous le répète, je ne suis pas très enclin à suivre les recommandations d'un revenant dont nous ne savons pratiquement rien, dit Darius, irrité. La chute de la Dame-Blanche se trouve près de la côte, derrière l'île de Rotana, sur la rivière Du Gong. Vous m'avez vous-même raconté que vous aviez échappé de peu à une attaque de pirates dans cette région. Si j'y conduis mon navire, je risque de le perdre et, plus important, je risque la vie de tous mes hommes d'équipage.

— Je comprends, dit Servia en poussant un soupir de résignation. Vous avez sûrement raison.

— Et vous dites connaître très peu ce Viernet ? demanda Paolo.

— En effet, répondit Keiko. Nous l'avons sorti d'une cellule, puis il nous a aidés à combattre le sphinx qui l'avait fait prisonnier. Ensuite, il a simplement disparu.

— Un magicien, sans doute, commenta Darius, puis il continua : nous passerons au large de l'archipel demain. C'est vous qui décidez, Majesté, mais je crois qu'il vaut mieux traverser cette région le plus rapidement possible. Nous pourrons faire une escale à Jupecha et demander aux habitants s'ils connaissent ce Viernet.

Servia réfléchit quelques secondes en se mordillant les lèvres, le regard fixé au sol.

— D'accord, dit-elle finalement. Oublions ce que nous a dit Viernet. Nous n'avons aucune idée de la raison pour laquelle il veut que nous nous rendions là-bas.

Le soleil de l'après-midi frappait fort sur le pont du *Geignard,* aucun nuage ne l'empêchait de darder ses rayons. Keiko se tenait au côté de Paolo, à la barre du navire.

Les deux hommes observaient silencieusement la côte de Rotana, qui se profilait à l'ouest. Darius se tenait à bâbord avec Servia, à quelques mètres de là. Eux aussi observaient l'île, alors que le *Geignard* atteignait sa hauteur.

— Aucune voile en vue, dit le capitaine d'une voix soulagée, les mains posées sur le plat-bord. Vous m'en voyez ravi. Je crains ces pirates et leurs rapides navires.

— Le capitaine Fabio devait demander qu'on envoie des bateaux afin de déloger les flibustiers de ces lieux, dit Servia, la main droite portée en visière. Peut-être sont-ils déjà venus nettoyer le secteur?

Darius se contenta de hausser les épaules. Le navire continua d'avancer sur la mer calme. Il se trouvait presque en face de la pointe sud de l'île lorsqu'un cri de la vigie se fit entendre du nid-de-corbeau. Ce n'était toutefois pas pour annoncer qu'un bateau était en vue, comme le craignaient tous les membres d'équipage.

— Capitaine, vague droit devant, hurla-t-il.

— Une vague? marmonna Darius en sortant une longue-vue de sa poche. Que veut-il dire par là?

— Même chose à tribord, lança la vigie d'une voix inquiète.

Darius porta la longue-vue à son œil droit et ferma l'autre afin de mieux voir. Son œil s'arrondit de surprise. Servia put lire la peur sur son visage.

— Des vagues tueuses, cria le capitaine. Une devant, vers le sud, et une au large, à tribord. Les deux se dirigent vers nous. Barre à bâbord. Donnez de la voile, ordonna-t-il. Nous allons tenter de nous cacher derrière l'île de Rotana.

Les matelots se hâtèrent d'obéir aux ordres. Paolo confia la barre à Keiko, l'enjoignant à maintenir le cap sur la pointe sud de l'île, se fiant à sa force pour tourner rapidement le nez du navire, puis il partit aider ses hommes. Darius s'en alla à tribord, accompagné de Servia. Il fixa le large, le visage tendu.

— Des vagues tueuses ? Qu'est-ce que c'est ? demanda Servia.

— Ça, se contenta de répondre le capitaine, montrant du doigt le large.

Au début, Servia ne remarqua rien de particulier, puis elle distingua une sorte de mouvement à l'horizon.

— En effet, on dirait une vague qui se dirige vers nous, remarqua-t-elle ; mais qu'a-t-elle de tueuse, cette vague ?

— Elle est encore trop loin pour que vous puissiez juger de sa dimension, lui expliqua Darius. Les vagues tueuses sont en fait des murs d'eau qui atteignent parfois plus de vingt mètres de haut. Personne ne sait d'où elles proviennent. Certains affirment qu'elles sont envoyées par Ferrol lui-même. Les vagues tueuses sont très rares. Je n'ai jamais entendu parler de deux vagues convergeant vers un même point. Si une de ces vagues nous atteint avant que nous puissions nous mettre à l'abri, c'est la fin du *Geignard* et de ceux qui se trouvent à son bord.

— Quelles sont nos chances de rejoindre Rotana avant que les vagues nous atteignent ? demanda la jeune fille.

Le capitaine observa les vagues qui se dirigeaient vers eux, puis il se retourna afin de considérer la distance qui les séparait de Rotana. Il fronça les sourcils.

— Nulles, répondit-il finalement.

Keiko poussait de toutes ses forces sur la barre afin de tourner le bateau vers la côte. Au prix de quelques efforts, il parvint à aligner la proue avec la pointe sud de l'île, comme le lui avait demandé Paolo. Il vit les marins courir en tous sens, les traits figés par la peur.

— Nous n'y arriverons jamais à temps, disaient-ils. Elles arrivent trop rapidement.

Lorsqu'il regarda de nouveau la côte, le jeune homme se demanda quels étaient les sillons qu'il voyait sur la mer calme, directement entre l'île et le *Geignard*.

Darius ne donnait plus d'ordres à ses hommes. Il savait qu'il n'y avait plus rien à faire. Le navire ne pouvait se déplacer plus rapidement et les vagues se rapprochaient à une vitesse phénoménale. Il n'avait jamais été très pieux, mais en raison des circonstances, il pensa qu'une prière était appropriée. Il regarda Servia et lui sourit tristement.

— Je suis désolé de ne pas pouvoir vous conduire à bon port, Majesté.

Sans attendre de réponse, il se tourna vers ses hommes.

— Messieurs, nous avons fait ce que nous avons pu. Il ne nous reste plus qu'à prier Ferrol et à implorer sa clémence.

Les hommes savaient bien que la mort volait sur les ailes des vagues tueuses et qu'elle viendrait dans quelques minutes récolter leurs âmes. Étrangement, il n'y eut pas de panique. Les marins semblaient résolus. Que pouvaient-ils faire d'autre devant une telle force ?

Ils s'agenouillèrent donc et commencèrent à prier le dieu des eaux en silence.

Seuls Servia et Keiko ne priaient pas. La jeune fille observait les marins, consternée. Elle aurait bien prié avec les marins, mais on ne lui avait jamais montré comment s'adresser à un dieu. Elle considéra son ami. Keiko, qui était toujours à la barre, regardait vers l'avant, les sourcils froncés. Il tentait de se faire une idée de ce qu'il voyait. Les sillons, devant le navire, semblaient se multiplier. Il sursauta en voyant une créature marine sauter hors de l'eau, immédiatement imitée par ses semblables.

— Des dauphins ! cria Servia qui avait suivi le regard de son ami.

Des centaines de dauphins nageaient vers le *Geignard* en bondissant hors de l'eau. Ils arrivèrent bientôt à la hauteur du navire, fendant les flots, comme des flèches argentées.

— Les créatures de Ferrol, dit Darius avec déférence. Les dauphins sont les créatures préférées du dieu des eaux.

Tous observèrent les mammifères marins qui les dépassaient et qui poursuivaient leur route. Leur groupe se scinda en deux. Le premier se dirigea vers le large, dans la direction de la première vague tueuse, alors que le second tournait et fonçait vers le sud, en direction de l'autre vague. Ils ne nagèrent pas longtemps avant de les atteindre. Les vagues s'élevaient bien au-dessus du mât du *Geignard*. Les dauphins semblaient grimper le mur d'eau, et bientôt, ils bondirent au sommet des deux vagues, puis replongèrent. Les marins virent diminuer les vagues tueuses, à mesure que les dauphins replongeaient à sa crête, comme s'ils les écrasaient.

Quelques instants plus tard, lorsque les vagues atteignirent le bateau marchand, elles avaient repris une taille normale. Elles soulevèrent le *Geignard* de quelques mètres, mais le navire tangua sans problème, avant de fendre l'eau sur une mer d'huile.

— Ainsi, il reste donc un peu de la magie de Ferrol dans ces créatures, murmura Darius d'une voix chevrotante où se mêlaient la peur et l'émerveillement.

CHAPITRE X

UN NOUVEL ORDRE

L orsque le fond de la grande barque racla le sable de la plage, Darius osa, pour la première fois, se retourner et observer le *Geignard* qui mouillait en eau plus profonde. De loin, le mât, privé de toute voilure, lui donnait l'impression d'être le squelette de son navire. Le capitaine ordonna à ses six rameurs de tirer l'embarcation jusqu'à la plage. Il était encore en colère contre Servia, qui les avait obligés à mettre Brega dans la chaloupe, afin qu'il les accompagne jusqu'à la chute de la Dame-Blanche. Ses hommes y étaient parvenus après l'avoir soigneusement attaché et soulevé à l'aide de courroies de cuir. Alors qu'ils étaient en route vers la plage, l'animal avait failli les faire chavirer à plusieurs reprises.

— Je préférerais vous accompagner, dit le capitaine lorsqu'ils furent tous débarqués sur la plage de sable fin de la petite anse.

— Je crois que nous devons y aller seuls, répondit Servia.

— Je n'ose pas insister, reprit Darius dans un soupir de résignation. Il est clair, avec ce que nous avons vu, que la volonté de Ferrol doit être respectée.

— Que savez-vous de cet endroit? demanda Keiko. Est-ce dangereux?

— Je n'ai jamais entendu parler d'un danger spécifique, répondit le capitaine en haussant les épaules. Il s'agit d'un lieu que certains considèrent comme sacré. On y verrait, dans la chute, la silhouette de la Dame Blanche. Quelques personnes y effectuent des pèlerinages en espérant être guéris ou pour obtenir des réponses à leurs questions. Est-ce réellement un endroit sacré ? Je ne saurais le dire... Il y a plusieurs rumeurs concernant des lieux où les gens affirment avoir aperçu la Dame Blanche et celui-ci en est un parmi tant d'autres. Je n'ai jamais entendu dire que ce lieu était plus sacré que les autres. Vous verrez bien.

Keiko tourna le dos à la mer. La plage n'était pas très grande et il aperçut aussitôt un sentier qui s'ouvrait à travers la végétation luxuriante.

— Allons-y, dit-il en passant l'une des courroies de son sac sur son épaule. Je vois un sentier là-bas.

— Nous allons vous attendre ici, dit Darius. Soyez prudents.

— Comme toujours, répondit Servia en lui souriant. À bientôt. Allez, viens, Brega.

L'âne ne se fit pas prier pour avancer, trop content de quitter la mer et le bateau qui l'avaient gardé prisonnier si longtemps.

Le sentier n'était pas large, mais il était facile à suivre. Aucun embranchement ne venait percer la muraille de végétation qui s'élevait de part et d'autre. Keiko avait pris les devants, son bâton de marche à la main.

Il grimpait le sentier qui s'élevait en pente douce. Il leur fallut plus d'une heure avant d'entendre le bruit de la chute, au loin, ce qui les fit accélérer.

Ils débouchèrent quelques minutes plus tard dans une clairière. Ils pouvaient distinguer, au loin, l'impressionnante cascade. Keiko estima qu'ils en avaient encore pour une bonne demi-heure avant de parvenir au pied de celle-ci, qui semblait faire une centaine de mètres de haut.

— Bienvenue, mes amis. Je suis content de vous revoir.

Keiko, qui avait la tête baissée, sursauta et fit un pas en arrière en adoptant une position défensive, son bâton devant lui. Il se détendit quand il vit qu'il s'agissait de Viernet.

— Nous sommes également contents de te revoir, lança Servia, mais tu n'es encore qu'une apparition, je peux voir à travers toi, dit-elle, troublée.

— En effet, répondit-il. Ma grand-mère m'interdit de me rendre sur Arménis. Je suis là pour vous servir de guide pour la dernière partie de votre randonnée.

— Euh! Qui est ta grand-mère? Tu es sûrement un magicien pour disparaître et apparaître ainsi à ton gré, observa Keiko.

— Non, répondit Viernet en riant. Je ne suis pas un magicien.

— Lors de notre combat contre Céracol, tu semblais en fâcheuse posture. Serais-tu mort à ce moment-là pour être transformé en revenant, en fantôme? ajouta le jeune homme.

— Non, répondit Viernet, pas exactement. Il y a certaines choses dont je n'ai pas le droit de vous entretenir et les circonstances entourant notre première rencontre en font partie. Par contre, je peux vous parler de ce qui vous attend à la chute. Que diriez-vous de discuter en chemin ? On nous attend déjà là-bas.

— Qui nous attend ? demanda Servia en suivant Viernet qui semblait glisser sur le sentier.

Ce dernier se contenta de sourire.

— Personne de dangereux, je peux vous l'affirmer. Je suis là pour vous guider, mais aussi pour m'assurer que vous arriverez au point de rendez-vous sans encombre.

— Comment feras-tu pour intervenir en cas de problème si tu n'es pas physiquement présent ? demanda Keiko, toujours aussi pragmatique.

— Je trouverai bien, répondit Viernet en souriant de plus belle, l'air énigmatique. Vous avez été conviés à une rencontre exceptionnelle. Vous serez parmi les premiers humains à pouvoir parler à la Dame Blanche.

— La Dame Blanche ? Qui est-ce ? demanda Servia.

Viernet, incrédule, regarda tour à tour Servia et Keiko.

— Vous êtes sérieux ? Vous ne savez pas qui est la Dame Blanche ?

— Non, avoua Keiko en haussant les épaules.

Viernet éclata de rire, le visage levé vers le ciel.

— Vous devez être les deux seules personnes sur Arménis à ne pas savoir de qui il s'agit. Vous êtes privilégiés, la dame veut vous demander de lui rendre un service. Étant donné que vous ne la connaissez pas, je lui laisserai le soin de vous expliquer qui elle est.

— Et elle nous connaît? s'étonna Keiko. Elle sait qui nous sommes?

— Oh! oui, elle suit vos aventures depuis un bon moment déjà.

Keiko et Servia se regardèrent, les sourcils froncés.

Après une courte marche, ils arrivèrent au pied de la chute. Le grondement était assourdissant, alors que des trombes d'eau s'abattaient dans un bassin d'eau claire. Un rideau de gouttelettes s'élevait au-dessus du bassin.

— Nous y sommes, dit Viernet.

— Tu nous avais dit qu'on nous attendait, mais l'endroit est désert, déclara Servia.

Viernet montra la chute du doigt. Les deux jeunes gens comprirent d'où venait le nom de l'endroit. Dans sa chute, à travers les saillies et les rochers, l'eau adoptait vaguement la forme gigantesque d'une femme. Avec un peu d'imagination, on pouvait distinguer sa tête, son buste et ses hanches. Keiko se gratta la tête, cherchant à comprendre. Simultanément, les deux amis distinguèrent deux lueurs blanches, à l'endroit où devaient se trouver les yeux de la silhouette qui mesurait une dizaine de mètres. Elle se précisa, en même temps que les lueurs s'intensifiaient. Des yeux bien distincts apparurent et se fixèrent dans ceux des voyageurs.

Servia éprouva une certaine crainte face à cette apparition titanesque. L'eau de la chute donnait l'impression que le vent remuait les cheveux de la femme.

— Bonjour à vous, dit une voix provenant de la chute.

Les mots de la Dame Blanche éclipsèrent le bruit assourdissant de la chute. Les amis semblaient l'entendre de l'intérieur, comme si tout leur corps vibrait. Rendus muets par la surprise, Servia et Keiko se contentèrent de hocher la tête en signe de salut.

— J'ai une offre à vous soumettre, ajouta la Dame Blanche.

Servia retrouva sa voix, en même temps que son courage.

— Pardonnez notre ignorance, mais nous aimerions savoir qui vous êtes. Nous avons entendu parler de vous à quelques reprises, mais personne ne nous a dit qui vous étiez.

— Je vois, dit la dame de la chute.

La Dame Blanche leva son bras droit, et aussitôt, une fine colonne d'eau se détacha du torrent et vint frapper les deux jeunes gens, alors qu'elle passait à travers l'image de Viernet. Ils firent tous deux un pas en arrière, étourdis. Ce n'était pas la puissance de l'eau qui les avait déstabilisés, mais plutôt la peur, puisqu'ils ne comprenaient pas très bien ce qui se passait. En une fraction de seconde, ils surent qui était la créature qui se tenait devant eux. Consternés, ils se mirent à genoux, la tête basse.

— Qu'attendez-vous de nous, Grande Mère ? demanda Servia.

— Relevez-vous, mes enfants, et écoutez-moi bien. Je ne veux pas vous imposer un fardeau supplémentaire. Vous êtes entièrement libres de refuser l'offre que je vais vous faire. Je suis, depuis peu, de retour parmi les autres dieux. J'ai remarqué, en suivant votre route, que le mal est omniprésent sur Arménis et je souhaite que vous m'aidiez à y rétablir un certain équilibre. C'est un défi de taille, mais je ne m'attends pas à ce que la paix règne dans ce monde en quelques années.

La déesse se tut et observa les deux humains devant elle. Keiko et Servia eurent l'impression qu'elle les sondait jusqu'au plus profond d'eux-mêmes.

— Voici ce que je souhaite. Je voudrais faire de vous les pierres fondatrices d'un nouvel ordre qui verra à maintenir cet équilibre. Vous aurez à combattre des hommes et des créatures de toutes sortes, des aberrations de la nature. Vous devrez influencer certains décideurs afin qu'ils guident correctement leurs peuples. Je vous donnerai des outils afin de vous aider dans votre tâche. Vous serez à la fois mes mains et ma bouche sur Arménis. Vous devrez également recruter d'autres membres afin que notre nouvel ordre soit représenté dans toutes les régions de ce monde.

— Mais... fit Servia, pourquoi nous ? Pourquoi nous avoir choisis ?

— Je vous ai suivis depuis un bon bout de temps déjà. Vos cœurs sont purs, et de plus, tu es l'héritière d'un puissant royaume, ajouta-t-elle en regardant Servia, ce qui sera un atout lorsqu'il sera question de politique. Tu connais tes origines depuis peu et tu te rends à Ferrolia pour en apprendre davantage sur la question. Suis ton chemin et fais ce que tu jugeras bon. Je ne te demanderai pas de renier tes devoirs envers ton peuple. Sachez que même si vous acceptez de faire partie de l'Ordre, vous pourrez en tout temps le quitter.

Servia et Keiko se regardèrent, un peu confus. La déesse perçut leur inconfort.

— C'est une décision importante et tout ceci vous tombe dessus à l'improviste. Prenez le temps d'en discuter. Viernet et moi pouvons demeurer avec vous jusqu'à la tombée de la nuit.

Les amis se balancèrent d'un pied à l'autre, hésitants, jusqu'à ce que Keiko prenne la parole.

— Pardonnez-nous, déesse, et vous aussi, Viernet, nous allons nous retirer quelques instants pour nous consulter.

Viernet sourit et c'est lui qui s'adressa au couple, plutôt que la Dame Blanche.

— Prenez votre temps, dit-il. Et surtout, vous pouvez continuer à me tutoyer ; après tout, n'avons-nous pas combattu un sphinx ensemble ?

Servia et Keiko se rapprochèrent de la chute après avoir délibéré de longues minutes.

— Déesse, dit Keiko pour commencer, nous acceptons votre offre et nous en sommes honorés. Toutefois, si la tâche s'avère trop lourde, comment pouvons-nous nous assurer que nous pourrons nous retirer de l'Ordre si nous le désirons ?

— Vous avez ma parole. Approchez-vous et pénétrez dans le bassin au pied de la chute, dit la Dame Blanche. Votre âne aussi. Y a-t-il un symbole particulier qui vous tienne à cœur ? Ce symbole représentera l'Ordre que nous mettrons sur pied.

Keiko haussa les épaules avec indifférence, mais Servia se rappela une promesse qu'elle avait faite.

— Je souhaite adopter le symbole de l'épervier en vol, si vous n'y voyez pas d'inconvénient. J'ai dû, jadis, à mon grand désespoir, en abattre un et j'ai alors juré d'adopter un jour cet emblème.

— Qu'il en soit ainsi, dit la déesse, alors que Viernet les guidait dans le bassin jusqu'à ce qu'ils aient de l'eau aux cuisses. Il est maintenant temps de vous donner les outils qui vous aideront dans votre tâche.

Un autre filet d'eau se détacha du flot principal et vint s'abattre sur les humains et sur l'âne. Ce dernier s'ébroua.

Servia sentit alors qu'elle avait quelque chose autour de son cou. Elle baissa les yeux et vit une pierre blanche de la même forme que l'un des yeux de la dame, pendant au bout d'une fine chaîne en argent. Le bijou était modeste, délicat et joli. Elle remarqua également, un peu plus haut que sa poitrine, à la gauche, du côté de son cœur, la silhouette d'un épervier en vol, tatouée sur sa peau. Keiko toucha son oreille droite, elle avait été percée sans qu'il ressente quoi que ce soit. À son lobe était attachée une petite pierre blanche, similaire à celle de Servia, mais plus petite. Keiko avait le même tatouage que Servia, mais sur le dessus de la main droite. Quant à Brega, certains poils de sa fesse gauche avaient blanchi ; leur forme dessinait la silhouette de l'épervier.

— Je dois maintenant vous laisser, dit la Dame Blanche. Viernet vous raccompagnera, le temps de vous expliquer en quoi consistent les cadeaux que je vous ai faits.

Je vous remercie d'avoir accepté mon offre ; par contre, je dois vous mettre en garde. Votre cœur doit rester pur et vous devez utiliser vos dons à bon escient, sans quoi vous risquez de subir ma colère ou celle d'un autre dieu. Allez, et profitez de la vie, ajouta-t-elle, alors qu'un sourire bienveillant semblait se dessiner dans le visage que formait le torrent.

Sur ces paroles, l'eau de la chute reprit son allure normale, et seuls les plus imaginatifs purent, à partir de ce moment, y distinguer la forme d'une femme.

— En route ! s'exclama alors Viernet.

Tous sortirent de l'eau et lui emboîtèrent le pas.

— La Dame Blanche vous a expliqué de manière succincte ce qu'elle attend de vous. Concrètement, vous devez vous demander par où commencer. Les bijoux que vous avez reçus vous aideront sur ce plan. Si vous ressentez de la chaleur, accompagnée d'un picotement, là où repose votre bijou, vous n'aurez qu'à le plonger dans un récipient plein d'eau, qui deviendra comme une boule de cristal, vous montrant l'objet de votre quête, ainsi que le lieu où vous devez intervenir. Vous comprendrez mieux lorsque vous aurez reçu votre première sommation. Selon l'intensité de la chaleur et les picotements que vous sentirez, vous serez en mesure d'identifier l'urgence de l'appel. Le pendentif et la boucle d'oreille ont également d'autres fonctions. Si vous les portez, ils vous permettront de voir dans le noir. Gardez-les en permanence sur vous. Personne ne pourra vous les enlever de force. Vous leur découvrirez peut-être aussi d'autres fonctions au fil du temps, ajouta le dieu de façon énigmatique.

Viernet s'arrêta et se tourna vers les voyageurs.

— La dame m'a aussi accordé le pouvoir de modifier vos armes. Déjà, Keiko, le tatouage sur ta main permettra à tes griffes de percer n'importe quelle armure, qu'elle soit naturelle ou non. Donne-moi ton bâton, dit-il en tendant sa main vaporeuse.

Le jeune homme s'exécuta sans discuter.

Une lueur blanche entoura la main de Viernet et courut le long du bâton de marche de Keiko.

— Voilà, ton bâton est maintenant quasiment indestructible. Au tour de ton arc, Servia.

Servia le lui tendit. Viernet passa sa main dessus, jusqu'à ce qu'il rencontre le symbole qui y était gravé, c'est-à-dire deux vagues superposées. Il sourit.

— Ferrol a déjà béni ton arc après votre combat aux abords du portail des ombres. Il en a augmenté la force et la portée. Je vais plutôt prendre l'une de tes flèches.

Abasourdie d'apprendre qu'un dieu avait touché son arme, Servia sortit une flèche de son carquois, qu'elle tendit à Viernet, qui la nimba d'une lumière blanche.

— Tu peux replacer ta flèche dans ton carquois. Cette flèche est indestructible, comme le bâton de Keiko, et elle sera automatiquement remplacée. Tu ne manqueras plus jamais de projectiles et ils seront plus résistants et plus performants qu'aucun autre sur Arménis.

— Merci, dit Servia, aussitôt imitée par Keiko.

— Ce n'est rien, dit Viernet. Poursuivons notre route maintenant. Le capitaine et son équipage s'inquiètent de votre absence. Ah ! J'oubliais presque Brega...

Lui aussi a reçu quelques cadeaux en récompense de son indéfectible loyauté. Je ne vous dis pas de quoi il s'agit, je vous laisse la surprise de le découvrir. Cet âne est maintenant un animal vraiment unique.

Brega releva la tête, puis il se redressa, droit et fier, et passa devant le groupe afin de le diriger dans le sentier. Servia fronça les sourcils et Keiko se gratta la tête en voyant la réaction du petit âne. Viernet se mit à rire avant de se retourner et de le suivre.

— Venez, dit-il, alors que les deux jeunes gens s'attardaient sur le sentier. Allons présenter au monde les premiers membres de l'Ordre de l'épervier.

CHAPITRE XI

FOURBERIE

Des trois qui marchaient sur la route du Sud, Brega était le plus heureux de se retrouver sur la terre ferme, et ce, une fois pour toutes. Il trottait parfois devant Servia et Keiko, qui le perdaient temporairement de vue. Ils le retrouvaient parfois broutant les herbes hautes en bordure du chemin ou alors il dépensait son trop-plein d'énergie en galopant dans les champs environnants.

Servia riait aux éclats en observant son petit âne si heureux. Elle-même était contente de se retrouver en compagnie de ses deux amis, à marcher sur une route inconnue. Darius les avait débarqués à la frontière nord du royaume de Ferrolia. Il leur avait dit qu'ils en auraient pour plusieurs jours de marche avant d'atteindre la capitale. Il leur avait également promis de les y retrouver.

— J'y serai en deux jours, avait-il dit avant de les quitter. Je vais tenter de glaner quelques informations sur le roi et le royaume, tout en cherchant des possibilités de commerce. Venez me rencontrer au port en arrivant, je vous ferai part de ce que j'aurai appris.

La jeune fille se tourna vers Keiko qui, le nez au vent et les yeux mi-clos, captait les effluves de la mer qui s'étendait sur leur droite, et l'odeur des herbes et des fleurs qui poussaient sur leur gauche.

— L'été tire à sa fin, dit-il. Je le sens dans l'air. Dans un peu plus d'un mois, les feuilles se coloreront avant de se flétrir et de tomber pour l'hiver. Je me demande s'il y a beaucoup de neige dans cette région pendant l'hiver...

— Nous verrons bien si nous sommes encore ici à cette période, répondit Servia. Arrêtons-nous pour la nuit. Nous avons assez marché pour aujourd'hui.

Keiko acquiesça d'un léger grognement et entreprit d'amasser un peu de bois pour le feu. Les amis passèrent près d'une heure à s'entraîner avec leurs bâtons de marche, puis ils s'installèrent et mangèrent en silence en observant le soleil rougeoyant qui s'abîmait lentement dans la mer. Quelques oiseaux marins semblaient souhaiter bonne nuit à l'astre diurne en poussant des cris stridents. Quand la noirceur s'étendit sur la côte et que le bruit des oiseaux fut remplacé par celui des cigales et des grenouilles, les deux jeunes gens passèrent quelques minutes à discuter devant leur feu de camp avant de s'endormir, enlacés.

Servia vit quelques maisons d'un village se profiler à l'horizon. Elle estima qu'ils y parviendraient dans une bonne heure. La route était déserte, à part un voyageur qui venait dans leur direction, en marchant d'un pas rapide. Un peu plus loin apparut un nuage de poussière soulevé par plusieurs chevaux arrivant au galop. L'homme, qui était à environ deux cents mètres de Servia, poussa un cri lorsqu'il entendit les bêtes et il se mit à courir afin de leur échapper. Il était à moins d'une cinquantaine de mètres des deux amis lorsque les cavaliers le rattrapèrent. Ils mirent pied à terre et se ruèrent sur lui. Deux des cavaliers étaient vêtus sobrement et ils avaient l'air d'être des hommes d'armes expérimentés. Le troisième, visiblement leur chef, était richement vêtu. Il portait des bottes de cavalier noires qui lui montaient jusqu'aux genoux, un pantalon noir moulant et une chemise blanche recouverte d'une cape écarlate. Ses hommes rattrapèrent le fuyard en deux enjambées et le retinrent chacun par un bras. Leur chef s'avança en enlevant ses gants.

Il gifla l'homme si violemment que ses genoux fléchirent. Il aurait croulé au sol s'il n'avait pas été retenu par les deux autres.

— Que faites-vous ? cria Keiko en se dirigeant vers eux. Pourquoi frappez-vous cet homme ?

Servia banda son arc et attendit la suite. Elle avait bien vu, comme son ami, que l'homme violenté n'était plus tout jeune et qu'il ne semblait pas être menaçant. Il portait des vêtements défraîchis et un chapeau aux larges bords, qui avait sûrement vu maintes journées de pluie et de soleil.

— Mêlez-vous de vos affaires, paysans, lança le chef.

Il frappa l'homme d'un coup de poing au ventre avant de continuer.

— Cet homme a osé parler contre moi et il doit être puni.

Il sortit un couteau passé à sa ceinture, et d'un coup, taillada le visage du pauvre homme qui cria de douleur.

— Ça suffit, lança Keiko qui accéléra le pas, de plus en plus en colère. Nul homme ne mérite un tel châtiment pour quelques mots mal placés. Vous a-t-il fait du tort d'une autre façon ?

— Vous n'êtes pas juge, à ce que je sache, rétorqua le chef, un homme près de la cinquantaine qui afficha une moue de mépris en regardant Keiko. Je n'ai pas de temps à perdre avec de jeunes fous comme vous.

Les trois hommes se concentrèrent sur leur victime. Keiko se retourna vers Servia et secoua la tête, lui signalant de ne pas intervenir. Il croyait qu'il parviendrait à les maîtriser sans son aide et sans effusion de sang.

Les deux hommes lui tournaient le dos. Ils n'eurent pas le temps de réagir avant que le bâton de Keiko les assomme. Il ne vit pas leur chef planter son couteau dans la poitrine de la victime. Ce dernier croula au sol, les mains sur sa blessure.

— Lâchez ce couteau, ordonna Keiko au chef de la bande.

— D'accord, d'accord, ne me frappez pas, dit-il en laissant tomber son arme.

— Que je ne vous voie plus malmener un homme ! Ce n'est pas parce que vous êtes riche que vous avez droit de vie ou de mort sur les autres. Vos gardes ne sont qu'assommés. Réveillez-les et partez. J'espère que vous retiendrez la leçon. Si j'apprends que vous avez recommencé, je vous rendrai visite et je ne serai pas aussi gentil.

— Je vous jure que je ne recommencerai pas, dit l'homme qui conservait étrangement son calme.

Keiko poussa un grognement avant de se pencher vers le voyageur, toujours au sol. Il avait rendu l'âme. Le dernier coup de couteau lui avait été fatal.

— Il est mort, cria Keiko, consterné, en se tournant vers Servia.

Cette dernière vit un sourire mauvais se dessiner sur les lèvres de l'homme. Elle comprit trop tard. Il sortit une seconde dague de sa ceinture et la planta dans le cou de Keiko, qui lui tournait dos, accroupi sur la victime. Le jeune homme poussa un cri de douleur et s'effondra par-dessus le vagabond.

Servia décocha une flèche qui transperça le torse du chef. Il fut projeté deux mètres plus loin par la force de l'impact. Diverses émotions assaillirent alors la jeune fille. Elle ressentit tout d'abord de la colère en raison de la fourberie de l'homme, en plus de craindre pour la vie de Keiko et elle se sentait triste pour celui qui était mort. Elle était également étonnée de la force de frappe de l'arc béni par Ferrol, utilisé pour décocher une flèche touchée par Viernet.

Elle courut rejoindre Keiko, qui tentait vainement de retenir le flot de sang qui s'échappait de sa blessure. Le sang giclait par jets, ce qui était de mauvais augure ; une artère semblait touchée. Servia enleva sa chemise, se souciant peu de montrer sa poitrine dénudée, et l'appliqua sur la plaie.

— C'est grave, dit-elle à Keiko. Si tu te transformais en ours ? D'habitude, ça guérit un peu tes blessures, ce sera peut-être suffisant.

Keiko tenta sans succès d'y parvenir, alors qu'il voyait le ciel s'assombrir. Étrangement, il songea qu'il y avait plusieurs jours que des nuages menaçants n'avaient pas obscurci le ciel. En fait, le ciel était toujours aussi bleu, mais lui y voyait la mort qui venait le chercher. La pression qu'exerçait Servia sur la plaie ne suffisait pas. Des larmes coulèrent sur ses joues.

— Keiko! Transforme-toi, l'implora-t-elle.

Le jeune homme ferma les yeux, il entendait une voix au loin. C'était celle de quelqu'un qu'il aimait, mais il était tellement bien, comme s'il était couché dans un lit moelleux. *Je vais me reposer un peu,* pensa-t-il. Il sombra dans l'inconscience.

— Keiko, réveille-toi. Keiko, reste avec moi, répétait Servia en sanglotant.

Une ombre se dessina derrière elle. Elle sursauta, craignant que sa flèche ne soit pas venue à bout de l'homme et qu'il soit près d'elle afin de lui régler son compte à son tour. Elle fut soulagée de voir le museau de Brega s'approcher et sentir Keiko. Apparemment, il comprenait que quelque chose n'allait pas.

— Recule-toi, Brega, dit Servia entre deux sanglots.

L'âne ne tint pas compte de l'ordre de sa maîtresse. Au contraire, d'un coup de tête, il repoussa les mains de Servia qui étaient, jusque-là, demeurées sur la blessure. La jeune fille poussa un couinement de surprise. Brega posa son museau sur la plaie. Son souffle releva les cheveux en bataille de Keiko. Le sang cessa de couler et Servia eut l'impression que son ami venait de mourir. Elle fut estomaquée quand elle vit la blessure se refermer, alors que le jeune homme respirait profondément.

Elle regarda Brega. Ce dernier vint poser son museau contre la joue de Servia, comme pour s'excuser de l'avoir repoussée ou peut-être pour la réconforter, elle n'aurait su le dire. Il se retourna et s'en alla plus loin, s'attaquant aux herbes qui poussaient le long de la route, comme s'il n'avait pas mangé depuis des semaines. Servia remarqua alors les poils blancs sur sa fesse, en forme d'épervier, et elle comprit. La Dame Blanche lui avait donc donné des pouvoirs de guérison. Elle sourit et se pencha de nouveau vers Keiko qui dormait profondément. Sa blessure avait encore un aspect inquiétant, mais les chairs semblaient s'être ressoudées. Elle mit son sac à dos sous la tête de son ami, comprenant que le sommeil lui ferait reprendre des forces, puis elle déplaça le corps du vieil homme, puis enfin celui du fourbe, qu'elle laissa sur le côté de la route. Elle n'eut pas à se préoccuper des gardes, ceux-ci avaient fui. Elle remercia son âne en le caressant et se rassit à côté de son ami, attendant patiemment son réveil.

— Je ne sais pas si vous m'entendez, dit-elle à l'attention de la Dame Blanche, mais merci pour le don que vous avez accordé à Brega. Sans vous, j'aurais perdu mon ami aujourd'hui.

Elle regarda Keiko avec tendresse.

— Non, pas mon ami, mon amour, précisa-t-elle en essuyant une larme.

CHAPITRE XII

LA PRINCESSE DE FERROLIA

L ucius avait de la difficulté à empêcher ses vieilles mains de trembler, alors qu'il se rendait à l'une de ses réunions secrètes. Cette fois-ci, ce n'était pas le froid qui causait ses tremblements, mais plutôt son état d'excitation. C'est lui qui avait, pour la première fois, convoqué les autres membres du conseil, car il y avait urgence. Il s'approchait rapidement du temple de Ferrol, alors qu'un invité le suivait dans son sillage, aussi silencieux qu'une tombe. Ils arrivèrent bientôt à la porte latérale qui se trouvait à l'abri des regards indiscrets, alors que l'entrée principale donnait sur la rue la plus achalandée de la capitale. Celle-ci reliait le port, en bas de la falaise, au château érigé à l'extrémité du promontoire rocheux. Lucius frappa en respectant le code établi. Il fallut moins de deux minutes avant que la porte glisse silencieusement sur ses gonds et que la tête d'un jeune prêtre apparaisse dans l'embrasure.

— Bonsoir, dit Lucius.

Contrairement à d'habitude, le prêtre ne dégagea pas la porte pour le laisser passer. Il regarda, d'un air suspicieux, l'homme qui se tenait derrière Lucius, toujours silencieux.

— Je ne peux pas vous laisser entrer, dit le prêtre. Revenez demain et le grand prêtre vous recevra.

Lucius comprit pourquoi le jeune homme était réticent. Il se présentait à un rendez-vous secret et il était accompagné d'une autre personne. Il se maudissait d'avoir oublié d'en avertir le grand prêtre, qui aurait ainsi pu donner des directives au portier. L'excitation causée par la nouvelle, sans doute…

— Je sais que le visiteur qui m'accompagne n'a pas été annoncé, mais je vous demande de le laisser entrer. Je me porte garant de sa conduite. C'est très important, ajouta Lucius.

— Désolé, répliqua le prêtre en commençant à refermer la porte, je ne peux rien pour vous.

— S'il vous plaît, attendez, reprit le vieux conseiller du roi. Allez au moins consulter votre supérieur. Je vous assure que lorsqu'il aura appris la raison de la présence de cet invité, il courra lui-même pour venir l'accueillir.

— D'accord, quel est le but de sa visite alors ? demanda le prêtre en demeurant de glace.

Lucius hésita.

— Je ne peux en parler ici, alors que je suis dans la rue. Je vous en conjure, allez chercher votre supérieur et qu'il vienne juger de la pertinence de la présence de cet inconnu.

— D'accord, attendez-moi ici.

Le prêtre referma la porte et la verrouilla. À peine quelques minutes plus tard, la porte s'ouvrait de nouveau sur le grand prêtre lui-même, qui fit entrer Lucius et son invité.

— Je m'excuse, déclara Lucius, j'aurais dû…

— Il n'y a pas de raison, l'interrompit le grand prêtre. J'ai totalement confiance en votre jugement. J'espère que vous ne nous tiendrez pas rigueur de cet accueil.

Le trio arriva dans la pièce où se tenait invariablement leur réunion et rejoignit les autres membres. Tous étaient là, à l'exception de la baronne Savanna, qui arriva presque sur leurs talons. Contrairement aux autres réunions, ce fut Lucius qui prit d'abord la parole.

— Mes amis, je me suis permis de vous convoquer d'urgence, car je viens d'apprendre une nouvelle qui m'a bouleversé.

— Le roi est-il revenu de son périple au nord de la capitale ? demanda le grand prêtre.

— Non, pas de nouvelles du roi, dit Lucius. Laissez-moi plutôt vous présenter mon invité. C'est lui qui m'a approché pour m'apprendre une importante nouvelle. Voici Darius, un marin originaire de Ferrolia, qui a quitté le royaume il y a plusieurs années. Il est maintenant capitaine d'un navire nommé le *Geignard*. S'il vous plaît, Darius, veuillez leur livrer l'information que vous m'avez transmise.

— Miranda, l'héritière du trône disparue depuis son enfance, est toujours en vie.

Des murmures se firent entendre autour de la table.

— J'arrive de Janaéra, loin au nord. C'est elle-même qui m'a retrouvé. Torkil lui avait parlé de moi sur son lit de mort. C'est lui qui a élevé la jeune fille dans une ferme, près de Sangbouc. Elle ne connaissait pas son ascendance, jusqu'à ce que je lui apprenne.

— L'héritière est donc vivante, dit Savanna, les yeux ronds de surprise.

— Comment pouvez-vous être sûr qu'il s'agit bien de Miranda, fille d'Hatios ? demanda le grand prêtre de Ferrol, sans se laisser démonter par la nouvelle.

Darius sourit.

— Si vous la voyiez, elle ressemble tellement à sa mère! De plus, elle avait en sa possession une bague ayant appartenu à la reine.

— Pourquoi Torkil lui aurait-il donné votre nom plutôt qu'un autre? demanda le grand prêtre avec suspicion.

— Je me rends compte que j'ai commencé l'histoire par la fin, dit le capitaine, un peu nerveux de se retrouver entouré de gens si importants. Permettez-moi de revenir plusieurs années auparavant, lors de cette nuit fatidique où Miranda est disparue et où la reine est morte. Comme vous vous en doutez sûrement, l'histoire que je vais vous raconter diffère passablement de la version officielle.

Darius prit une grande inspiration, puis il se lança dans le récit que lui avait relaté Torkil, alors qu'il était monté à bord du *Geignard* avec l'enfant et la nourrice Bernadette. Il raconta comment lui et le garde étaient devenus amis, puis il relata l'épisode de l'attaque du kraken, qui avait tué Bernadette, et il fit également le récit du vaillant combat de Torkil pour repousser le monstre marin.

Il expliqua ensuite qu'ils avaient laissé le garde fugitif et le bébé à Sangbouc et qu'il n'en avait plus jamais entendu parler jusqu'à l'arrivée de Miranda sur le navire, quelques jours auparavant.

— Et où est Torkil? demanda le prêtre. Pourrait-il témoigner de l'identité de la jeune femme?

Darius secoua la tête avec tristesse.

— Malheureusement, Torkil est décédé il y a environ deux ans.

— Donc, Miranda est à bord de votre navire, dans le port de Ferrolia ? demanda le noble Joshua, surexcité.

— Non, répondit le capitaine. À sa demande, nous avons débarqué la princesse et son compagnon de route, un dénommé Keiko, à la frontière nord du royaume. Elle tenait à se rendre à pied à la capitale.

— Quoi, vous l'avez laissée seule, sans protection ?

Darius lui adressa un sourire en coin.

— Elle n'est pas seule, elle est avec son compagnon. Pour ce qui est de la protection, je vous jure que ces deux jeunes gens savent se défendre, j'en ai été témoin.

— Quand même, critiqua le scribe Mélénil. Est-ce bien prudent ? Vous auriez dû laisser quelques hommes avec eux.

Darius reprit son sérieux.

— Si la princesse a hérité des traits de sa mère, elle possède plutôt le caractère de son père. Je vous invite à tenter de la faire changer d'idée quand elle a décidé quelque chose. Vous verrez de quoi je parle.

— Ainsi, elle a du caractère, la petite, commenta le grand prêtre en souriant. C'est bien, elle ne deviendra jamais la marionnette de personne si jamais elle accède au trône.

— Donc, elle ressemble aussi à son père. Je me demande… enchaîna Lucius.

Le capitaine du *Geignard* l'arrêta en levant une main, car il voyait où le conseiller voulait en venir.

— Comprenez-moi bien, je voulais dire qu'elle avait la tête dure, mais elle possède le cœur de sa mère. Elle est attentionnée, franche et réfléchie. Vous n'avez pas à craindre qu'elle suive les traces de son père et qu'elle sombre dans la tyrannie.

— Voilà qui est bien, ajouta la baronne Savanna. Il faut préparer le terrain pour son arrivée. Il ne faut pas que le roi apprenne cette nouvelle, il risquerait de tenter de la tuer.

— D'après vous, capitaine, serait-elle prête à prendre la place de son père ? demanda Joshua.

— Honnêtement, j'en doute, répondit Darius avec franchise en se passant une main sur la nuque. Elle n'est pas encore convaincue qu'elle est l'héritière de Ferrolia. Elle a été élevée en campagne et ne connaît rien des tâches inhérentes au rôle de monarque. Même si elle décidait d'accepter la couronne, il faudrait beaucoup de temps pour lui enseigner tout ce qu'elle a besoin de savoir.

— Je propose de l'introduire dans la ville en catimini et de taire son origine pour l'instant, suggéra Lucius. Entre temps, je tenterai de la joindre et je commencerai sa formation si elle le désire, en secret, évidemment.

Le conseil s'accorda sur ce point.

— Le problème, c'est qu'il faut la repérer à son arrivée en ville. Comment en serons-nous informés ? s'enquit le grand prêtre.

— Je lui ai demandé de venir me rejoindre au port à son arrivée, spécifia Darius. Je voulais tâter le terrain ici et lui faire part de mes découvertes par la suite.

— Nous vous remercions infiniment de nous avoir transmis cette excellente nouvelle, capitaine, dit Ulbar ;

le grand prêtre lui adressa un sourire. Voici une information qui nous aidera dans notre quête. Mes amis, depuis plusieurs années, je vois la lumière au bout du tunnel. Les habitants de ce royaume connaîtront de meilleurs jours. J'ai hâte de rencontrer cette jeune femme.

CHAPITRE XIII

COMME UNE ODEUR DE SANG

À Tarsa, capitale du royaume de Brandan, la reine guerrière Célias convoqua ses plus proches conseillères.

— Où en sommes-nous avec la mobilisation de l'armée ? demanda la reine à Beretta, la doyenne du groupe.

— Si vous nous donnez encore quelques semaines, plusieurs troupes du Sud pourront nous rejoindre. Elles gonfleront substantiellement nos rangs. Nous pourrions alors quitter Tarsa et marcher sur Ferrolia avec cinq mille soldats, dont trois cents cavaliers et deux mille esclaves pour nous accompagner.

— Impressionnant, reconnut la reine. Bon travail, Beretta. Kyla, parviendras-tu à accumuler suffisamment de vivres pour nourrir sept mille bouches ?

La jeune vierge de fer jeta un coup d'œil rapide à son amante avant de lui répondre.

— Je dois avouer que ce ne sera pas facile. Nous aurons de la difficulté à nous réapprovisionner en route. Les terres libres ne comptent aucune agglomération d'importance que nous pourrions piller ; aller à la chasse pour nourrir une telle armée prendrait beaucoup trop de temps. Il nous faut donc compter sur les vivres que nous apporterons, tant que nous n'aurons pas atteint le territoire ennemi. Une fois là-bas, nous pourrons piller les villes et les villages que nous rencontrerons sur notre route.

— Si nous nous mettons en marche dans deux semaines, pourras-tu y arriver ? demanda la reine avec impatience.

— Oui, ma reine, mais nous devrons nous rationner.

— Bien, il faut faire des sacrifices en temps de guerre. Passez donc le mot, nous marcherons sur Ferrolia dans exactement deux semaines. Si tout se passe comme prévu, nous traverserons la frontière ennemie une vingtaine de jours après notre départ. Une armée d'une telle taille ne se déplace pas très rapidement.

— Il reste la question des shamans, Majesté, ajouta Beretta. Je n'ai pu déterminer combien d'entre eux se joindront à nous. Ils m'ont semblé assez froids à l'idée d'attaquer le royaume des fidèles de Ferrol.

— J'en fais mon affaire, répondit la reine. Je verrai personnellement à ce qu'au moins une douzaine d'entre eux nous accompagnent. Il en demeurera autant à Tarsa pour protéger la ville.

La reine congédia ses deux conseillères et demeura pensive. Elle anticipait déjà une victoire retentissante sur le peuple de Ferrol. Elle se voyait revenir à Tarsa avec de l'or et du bétail en quantité suffisante pour calmer la faim dans son royaume. Elle avait une confiance totale en son armée, rompue aux tactiques de la guerre, alors qu'elle savait pertinemment que Ferrolia vivait en paix depuis trop longtemps.

— Leur roi n'aura même pas le temps de se demander ce qui se passe que nous serons déjà au pied des murs de son château, soliloqua Célias, les yeux dans le vague.

Il lui tardait de croiser le fer avec l'ennemi. Le feu de la guerre commençait à l'exciter.

Beaucoup plus au nord, le long de la côte, le bateau tanguait comme un bouchon de liège, dans la petite baie où il s'apprêtait à jeter l'ancre pour la nuit. Un second navire s'approcha de lui.

Les deux bateaux étaient bondés d'hommes au teint pâle qui œuvraient avec lassitude à travers les gréements. L'un d'eux s'effondra brusquement. Deux de ses amis le mirent, non sans difficulté, à l'écart des autres membres d'équipage. Personne ne se souciait de sa condition. Il était fréquent, depuis quelques jours, de voir des marins perdre connaissance. En plus de devoir s'astreindre à leur travail harassant de matelots, ils fournissaient en sang la bête qui demeurait dans la cale, loin des rayons du soleil.

Le grand maître des prophètes, c'est-à-dire la créature cuirassée, criait vengeance. Des humains étaient parvenus pour la première fois à la blesser et un tel crime ne devait pas demeurer impuni. Le vieil humain en charrette l'avait renseigné sur l'identité des fugitifs, et aussitôt, la créature avait demandé à ses prêtres et prophètes d'affréter deux navires afin de se lancer à leur poursuite. La créature ne pouvait hanter leurs rêves, comme elle le faisait avec les gens de Janaéra et de Danaéra. Peut-être ses ennemis étaient-ils encore trop loin. La créature jouait gros en se lançant ainsi à la poursuite de Keiko et de Servia. Elle risquait de perdre le contrôle des deux villes du nord. Déjà, depuis près de deux jours, elle ne parvenait plus à entrer dans l'esprit des gens qu'elle avait assujettis.

Les deux navires se trouvaient à deux jours du royaume de Ferrolia. Lors de leurs escales, on les avait renseignés sur l'itinéraire du *Geignard*.

Un prophète descendit dans la cale, porteur de sombres nouvelles.

— Maître, dit-il, les yeux écarquillés par la peur. Le capitaine nous annonce qu'un violent orage se dirige vers nous. Nous ne pourrons y échapper. Selon lui, nous risquons fort d'être violemment secoués.

La créature le chassa d'une image mentale, car elle ne pouvait s'exprimer par la parole. Le prophète se hâta de regagner le pont, trop heureux de s'éloigner du maître qui le mettait toujours mal à l'aise. Il avait déjà vu l'un des siens mis en lambeaux parce qu'il n'avait pas correctement exécuté ses ordres.

Un vent violent de l'ouest gonflait les vagues. Les deux bateaux se distancèrent l'un de l'autre afin d'éviter toute collision. Les marins s'affairaient sur les deux ponts, autant que leurs forces déclinantes le leur permettaient, afin d'arrimer les objets qui risquaient de se déplacer sur la mer démontée. La tempête frappa rapidement, avec violence, ballottant les navires comme de simples bouts de bois sur une rivière. Le second navire, celui qui n'abritait pas le grand maître, éprouva rapidement de sérieuses difficultés. Les matelots ne manquaient pas d'expérience en mer, mais l'homme à la barre et les marins manipulant les voilures réagirent un peu trop tard lorsqu'une énorme vague fonça sur eux. Ils tentèrent de prendre la vague de face, comme il se devait, mais ils ne parvinrent pas à redresser à temps le navire, qui fut frappé de côté. Le vaisseau tangua. Il gîtait fortement sur tribord quand une seconde vague imposante vint terminer le travail entrepris par la précédente. Le bateau sombra en un temps record. De loin, derrière un mur de pluie, l'équipage de l'autre bateau n'en eut pas conscience et ne put donc prêter secours à son équipage.

Lorsque la tempête se calma enfin, le lendemain, à l'aurore, le navire qui avait résisté fit demi-tour. Les matelots ne virent que des débris et des corps flottant sur la mer. Déjà, les mouettes s'attaquaient aux corps bouffis des noyés, dévorant leurs yeux en premier. Il n'y eut aucun survivant. Un équipage entier venait de disparaître, avec une douzaine de prophètes.

Le capitaine vint se plaindre au grand maître, lui reprochant l'affaiblissement des hommes, ce qui avait causé le naufrage du second navire. Il lui demanda même réparation. Quelques secondes plus tard, le navire avait un nouveau capitaine. Le corps sanguinolent de l'ancien fut jeté sans cérémonie par-dessus bord. Le grand maître ne voyait pas ce naufrage comme un drame. Il estimait bien peu la vie des hommes. Ce qui le contrariait, c'est qu'il avait perdu les deux tiers de ses effectifs. Il ne restait plus que six de ses fidèles pour se lancer à l'attaque des profanateurs. Jour et nuit, il ne pensait qu'à une chose, faire jaillir le sang des deux humains qui l'avaient blessé et se repaître de leurs entrailles.

Libra était inquiète. Elle faisait les cent pas dans l'une des nombreuses salles de son domaine. Vanciesse, la demi-elfe, héraut de la déesse, l'observait, attendant ses ordres.

— J'ai convoqué vos deux frères, comme vous me l'avez demandé, lui rappela-t-elle. Ils devraient être ici sous peu.

Libra signifia qu'elle avait compris, mais son esprit était ailleurs. Elle craignait que l'affrontement qui allait se produire ne ramène les dieux à la situation qui préva-lait avant l'arrivée de la Dame Blanche. La déesse de la justice et de l'ordre avait consulté sa mère à ce sujet, mais cette dernière lui avait dit qu'elle ne s'en mêlerait pas. Elle lui affirma qu'elle devait avoir confiance en ses frè-res. Et, si un problème survenait, la Dame Blanche était certaine que sa fille interviendrait adéquatement.

La déesse était revenue à son domaine, un peu contrariée par la réponse de sa mère. Elle avait envisagé plusieurs solutions, puis avait décidé de convoquer les deux parties en cause, afin de connaître leurs intentions.

Les deux frères arrivèrent en même temps, dans un éclair blanc. Poliment, Vanciesse les salua et leur offrit à boire.

— Merci d'avoir répondu si prestement à ma requête, dit Libra qui, d'un geste de la main, invita ses invités à s'asseoir.

— Ton héraut nous a informés que tu désirais nous parler le plus tôt possible, mais elle ne nous a pas expli-qué pourquoi, dit Ignès en s'affalant dans l'un des fau-teuils confortables qui entouraient la table basse.

— Nous étions déjà ensemble, ajouta Ferrol. Je racontais à Ignès comment s'était déroulée la mise sur pied du nouvel ordre que notre mère a formé.

— L'Ordre de l'épervier, c'est bien ça ? dit le dieu du feu en souriant. Je trouve que ça sonne assez bien.

Libra acquiesça d'un signe de la tête.

— Ce n'est toutefois pas de ce sujet que je désirais vous entretenir, dit la déesse qui avait conservé sa mine sérieuse. Vous n'ignorez pas que la situation est explosive sur Arménis.

Les deux dieux masculins reprirent rapidement leur sérieux.

— Tu parles de l'imminente guerre entre Ferrolia et Brandan ? demanda Ferrol.

De nouveau, Libra hocha la tête.

— C'était écrit dans le ciel que ces deux nations se feraient un jour la guerre, ajouta Ignès.

— Ce conflit m'inquiète, dit Libra en toute franchise, et je ne suis pas la seule. J'ai entendu certains autres dieux préciser qu'ils étaient mal à l'aise face à cette situation. Je ne passerai pas par quatre chemins. Nous sommes tous inquiets et nous souhaitons connaître vos intentions. Il y a peu de temps, avant l'intervention de mère, vous ne vous adressiez jamais la parole. Nous connaissons tous les raisons du différend qui vous séparaient. Nous ne voudrions pas que vous reveniez à vos anciennes querelles, considérant que les deux nations que vous chérissez risquent de s'affronter.

Les deux dieux se jetèrent un coup d'œil. Libra retint son souffle en attendant leur réponse.

— Nous nous en sommes déjà parlé, dit finalement Ignès après avoir bu une gorgée de vin à même une coupe en or que lui avait donnée Vanciesse. Connaissant la détermination des gens de Brandan et de leur reine guerrière, je serais étonnée qu'ils ne parviennent pas jusqu'aux portes du château de Ferrolia. Les affrontements entre mes protégés et ceux de Ferrol sont imminents ; pourtant, nous nous sommes entendus pour ne pas intervenir. Nous allons laisser les humains régler ce conflit entre eux.

Libra regarda Ferrol, attendant une confirmation de sa part.

— Nous ne porterons pas assistance à notre peuple, dit ce dernier en fixant son regard profond comme l'océan sur sa sœur. Nous le jurons sur la tête de notre mère.

La déesse de la justice poussa un long soupir de soulagement. Elle avait pleinement confiance en ses deux frères.

— Vous êtes conscients qu'un des deux royaumes risque de souffrir davantage que l'autre, voire d'être anéanti par son adversaire. Pourrez-vous résister à la tentation d'intervenir ?

— C'est ce que nous nous sommes promis, affirma Ignès. Peu importe qui est le vainqueur, les deux peuples souffriront de cette guerre. Je doute de la sagesse de la reine de Brandan ; elle a choisi la guerre pour régler les problèmes qui sévissent dans son royaume, comme dans toutes les régions d'Arménis, d'ailleurs. À moins d'un miracle, attendez-vous à voir couler beaucoup de sang.

CHAPITRE XIV

PREMIÈRE MISSION

L a créature jubilait. Elle venait de repérer l'empreinte mentale des deux compagnons. Même si elle n'avait jamais pénétré leur esprit, elle avait quand même perçu, à leur contact, le schéma de pensées qui caractérise chaque être vivant. Il n'y en avait pas deux pareils. Elle était donc en mesure de savoir qu'ils n'étaient plus très loin.

Les prophètes exigèrent du capitaine qu'il accoste dès qu'il le pourrait. Ils lui annoncèrent qu'ils continueraient leur voyage à pied. Le capitaine ne se fit pas prier, soulagé de se débarrasser de ses passagers. Il les débarqua dans une petite crique, leur donna des vivres, puis il remit en toute hâte les voiles afin de retourner à son port d'attache, celui de Danaéra. Le grand maître, à sa grande surprise, ne lui avait pas demandé de les attendre.

— Nous sommes plus ou moins à un jour de marche derrière eux, dit l'un des prophètes, tout en levant un sac lourdement chargé de nourriture, après que le maître lui eut communiqué l'information par la pensée. Le grand maître veut que nous partions sur-le-champ.

Les six prophètes rejoignirent donc la route, leur chef les suivait. Il se savait moins rapide que les humains, mais plus endurant, et il prévoyait voyager de jour comme de nuit, afin de rattraper ses proies. Tant pis s'il poussait à la limite les prophètes qui l'accompagnaient.

Servia et Keiko s'étaient arrêtés à une petite auberge. L'endroit accueillait les voyageurs, mais servait aussi de point de rencontre aux habitants du petit hameau. On y retrouvait surtout des fermiers et des marchands.

On leur apprit qu'ils se trouvaient à une longue journée de marche de la capitale. Comme à tous les endroits où ils s'étaient arrêtés auparavant, Servia entendit les gens se plaindre des temps difficiles et du manque de nourriture. L'aubergiste leur confia que les marchands s'arrêtaient de moins en moins dans son établissement et que les habitants des alentours y venaient toujours, mais qu'ils n'avaient plus d'argent à dépenser. Les gens n'osaient pas blâmer directement le roi, par peur de représailles. Alors qu'ils avaient de la difficulté à nourrir leur famille, le souverain avait augmenté les taxes, leur imposant par le fait même une situation insoutenable et désespérée. On dénonçait aussi le comportement de certains soldats, que le roi envoyait pour percevoir les taxes; ils étaient devenus ni plus ni moins des pillards, qui prenaient ce qu'ils voulaient et qui saccageaient le reste, sans se soucier des miettes qu'ils laissaient aux gens.

Du bout des lèvres, on laissait aussi entendre que ceux qui osaient s'élever contre les nouvelles politiques du roi disparaissaient mystérieusement et qu'on ne les revoyait jamais.

Servia et Keiko avaient pu constater que c'était ainsi partout dans le royaume. Les habitants étaient découragés, en colère ou désespérés, sinon les trois à la fois. La jeune femme voyait bien que le portrait de son père dépeint par Darius semblait très fidèle. Elle ne doutait plus de l'histoire que Thomas avait racontée à Darius sur la nuit où, bébé, on l'avait éloignée de son père et de sa mère, ainsi que du royaume dont elle devait être l'héritière. Son père était un tyran, et probablement aussi un meurtrier.

Servia ressentit une drôle de sensation en haut de sa poitrine, un genre de picotement. Elle se gratta et regarda Keiko en fronçant les sourcils. Son ami la regardait également, tout en pinçant le lobe de son oreille droite. Leurs yeux s'arrondirent lorsque leurs doigts touchèrent leurs symboles en forme d'œil. La Dame Blanche voulait leur confier une première mission.

Ils payèrent leur repas et montèrent à l'étage de l'auberge où ils avaient réservé une chambre pour la nuit. Certains les suivirent des yeux, le sourire aux lèvres, se méprenant sur le départ rapide du jeune couple vers leur chambre. Servia tourna fébrilement la clé dans la serrure de la porte, puis elle entra précipitamment dans la pièce, avec Keiko sur les talons. Elle saisit un pot d'eau en grès et une petite bassine mise à leur disposition pour se rafraîchir. Elle s'empressa de remplir la bassine, pendant que Keiko défaisait l'attache qui maintenait sa boucle d'oreille en place. Il la plaça au fond de la bassine pleine d'eau, puis les deux amis, penchés au-dessus du récipient, attendirent la suite. De minuscules vagues se formèrent à la surface, comme si on avait soufflé sur le liquide. Une image apparut. Ils distinguèrent rapidement la silhouette d'une femme ; il s'agissait de la même qu'ils avaient vue à la chute. Ils comprirent que la mission leur était transmise directement par la Dame Blanche. La forme de la déesse fut remplacée par celle de la créature qu'ils avaient combattue au temple des prophètes à Janaéra. Ils distinguèrent autour d'elle une demi-douzaine de prophètes qui avançaient péniblement, chargés comme des mules. En quelques secondes, ils reconnurent le paysage derrière, car ils étaient passés à cet endroit la veille.

Servia se demanda ce qu'exigeait d'eux la déesse. Désirait-elle qu'ils tuent la créature et ses prophètes ou qu'ils tentent de lui parler ? Elle obtint une réponse à ses questions lorsque la prochaine image apparut à la surface du récipient. Elle vit la créature terrassée, gisant face contre terre, dans une mare de sang. Un frisson parcourut l'échine de Servia.

L'image s'estompa après que d'autres petites vagues eurent fait frémir le liquide.

— Nous devons tuer cette créature, dit Keiko, en récupérant son symbole de l'Ordre et en le fixant de nouveau à son oreille.

Servia se contenta de hocher la tête.

« Apparemment, ils nous ont suivis, fit remarquer Keiko. Ils ne sont plus très loin derrière. »

— Je crois que nous devrions revenir sur nos pas demain matin, dit Servia. Nous pourrons les rejoindre avant qu'ils arrivent à proximité de ce village. Je ne voudrais pas que des innocents soient blessés lors de l'escarmouche.

— Tu as raison, répondit Keiko en passant une main dans ses cheveux ébouriffés. Voyons voir... Nous sommes avantagés par rapport à eux. Nous savons où les trouver. Je sais que ce n'est pas très chevaleresque, comme méthode, mais pourquoi ne pas leur tendre une embuscade en mettant tes talents d'archer à contribution ?

Servia demeura pensive un moment, avant de hocher de nouveau la tête en signe d'assentiment. Keiko ne la connaissait pas si taciturne et il devinait pourquoi. La jeune femme ne se sentait pas à l'aise de tuer ainsi sur demande. Elle avait l'impression de n'être qu'un assassin et cela la troublait. Elle savait bien qu'elle allait agir pour le bien du monde, avec l'aval des dieux ; elle détestait cette sensation. Elle se demanda si, au fil des ans, son cœur se durcirait suffisamment. Peut-être finirait-elle par s'habituer à enlever la vie à une autre créature, si méchante et mal intentionnée soit-elle. Elle espérait que ce ne soit jamais le cas.

Servia jeta un coup d'œil autour d'elle afin d'être certaine que personne ne se trouvait dans les environs. Ses yeux chauffaient malgré le ciel couvert de nuages gris. Elle n'avait presque pas dormi de la nuit, son sommeil avait été troublé par des cauchemars où elle était torturée par le grand maître des prophètes. En repensant à ces rêves, elle frémissait. Ils semblaient si réels qu'elle ressentait quasiment la douleur des blessures infligées. Elle ferma les yeux et respira profondément pour se calmer. Elle savait bien que ce rêve lui avait été envoyé par la créature, comme leur avait expliqué l'homme de

Janaéra qu'ils avaient sauvé. Maintenant, la bête s'approchait lentement de la position qu'elle et Keiko occupaient ; ils étaient dissimulés derrière de gros rochers, de chaque côté de la route. Servia remarqua que ses mains tremblaient légèrement. Elle comprit tout le désarroi des gens de Janaéra et de Danaéra, qui avaient dû subir de tels assauts psychologiques, nuit après nuit.

La jeune femme observa Keiko, qui se trouvait de l'autre côté. Il avait passé une aussi mauvaise nuit qu'elle. Lorsqu'il avait compris que la créature était à l'origine de ces effrayants songes, il s'était mis en colère. Derrière son rocher, il avait adopté sa forme d'ours en prévision du combat. Servia distinguait très bien son immense silhouette, que les rochers parvenaient à peine à dissimuler. Elle était loin, mais elle devinait les poils blancs en forme d'épervier sur sa grosse patte avant droite, là où la Dame Blanche l'avait touché, lui accordant une force accrue et des griffes plus résistantes que la plus solide des armures. Servia le vit lever le nez dans les airs, alors qu'il sentait que l'ennemi approchait. Ils avaient convenu que Servia frapperait la première. Elle regarda derrière elle et vit Brega qui broutait l'herbe, inconscient du danger qui les guettait. Ignorait-il vraiment ce que la Dame Blanche exigeait d'eux ? Et ignorait-il qu'ils se trouvaient face à un grand péril ? Servia se surprit à se le demander.

Les six prophètes suaient à grosses gouttes, malgré le temps couvert. Leurs provisions se faisaient de moins en moins lourdes, à mesure qu'ils les consommaient ; mais leur maître leur imposait un tel rythme de marche qu'ils n'avaient pas l'impression que leur fardeau avait été allégé. Ils voulaient trouver les infidèles le plus tôt possible, afin d'en finir. Ils n'aspiraient qu'à un peu de repos. Ils étaient suffisamment avisés pour ne pas dévoiler leur état d'âme à leur maître. Sa faible tolérance était bien connue chez les adeptes du culte.

Plusieurs des fidèles avaient déserté le temple après le combat avec les deux jeunes gens. Ces étrangers étaient parvenus à blesser celui qu'ils considéraient comme leur dieu, minant du coup leur confiance et semant le doute dans leur esprit. Le grand maître était bien conscient qu'il lui serait encore plus difficile de trouver des prophètes pour le servir et pour accomplir ses desseins à la suite de cette altercation. C'est pourquoi il tenait à ramener la tête de Keiko et de Servia, qu'il exhiberait aux portes de son temple.

Le maître réalisait aussi que les forces des prophètes qui l'accompagnaient périclitaient rapidement. Il envisageait de leur accorder une brève pause quand il capta les empreintes mentales de Keiko et de Servia. Il s'arrêta, imité par ses prophètes. Il savait que ses ennemis se trouvaient tout près, mais ses pouvoirs ne lui permettaient pas de mesurer la distance qui les séparait. Ils pouvaient être à quelques mètres ou encore à un ou deux kilomètres. Il envoya un message mental aux siens, les avisant qu'ils approchaient du but. Ces derniers en furent ragaillardis.

Le petit convoi se remit en route après que le grand maître eut demandé à ses deux plus rapides prophètes de passer devant et de revenir les prévenir lorsqu'ils auraient trouvé les deux jeunes gens. Il ignorait que les deux amis étaient déjà au courant de leur présence et qu'ils étaient tapis à une centaine de mètres.

Servia et Keiko crurent qu'ils avaient été repérés, lorsque leurs ennemis s'arrêtèrent. Ils virent ensuite deux des prophètes avancer rapidement, visiblement à l'affût.

Ils se doutent de quelque chose, songea Servia en bandant son arc et en encochant une flèche.

Elle attendit que les deux éclaireurs soient suffisamment près pour ne pas rater sa cible, puis elle laissa partir une première flèche, qui vint se planter entre les deux yeux de l'un des éclaireurs. Le projectile pénétra la boîte crânienne de l'homme, le tuant sur le coup. Si la flèche n'avait pas transpercé la peau de l'homme, celui-ci serait tout de même mort sur le coup, puisque la force de l'impact lui avait également brisé la nuque.

L'autre homme se retourna et lança un avertissement inutile à ses compatriotes qui, à une vingtaine de mètres en arrière, avaient été témoins de la scène. Tous les prophètes saisirent leur épée, le maître les ayant sélectionnés pour leurs habiletés à manier cette arme. Ils coururent vers leur ennemi, suivis par le maître. Le second éclaireur avait vu, pendant une fraction de seconde, l'arc de Servia dépasser du rocher à la gauche de la route. Il s'élança vers eux. Il allait le contourner quand sa course fut violemment stoppée par la patte de Keiko qui le frappa à l'épaule et l'envoya rouler dans les herbes; il s'affaissa inconscient. Il ne ressentit donc pas la douleur à l'endroit où les griffes de l'énorme mammifère lui avaient lacéré les chairs, séparant presque son bras droit du reste de son corps. Keiko vit les blessures de l'éclaireur de ses petits yeux bruns d'ursidé, et sentit surtout le sang qui s'écoulait de ses blessures et sut qu'il ne se relèverait pas. Il restait encore quatre hommes et le grand maître à mettre hors de combat.

Les quatre prophètes firent deux groupes afin d'attaquer simultanément leurs deux ennemis sortis de leur cachette. Le maître, un peu en retrait, se dirigea vers Keiko. Il avait préalablement informé ses fidèles que le jeune homme avait la faculté de se changer en ours, il l'avait aperçu alors qu'il se sauvait de lui au temple. Ses hommes ne furent donc pas surpris de se retrouver face à une telle bête. Ils n'avaient toutefois pas imaginé que l'animal serait de cette taille. Une flèche siffla et un autre prophète mourut, le projectile planté en pleine poitrine. La force de l'arc béni par Ferrol le projeta plus d'un mètre en arrière.

Servia laissa rapidement tomber son arc, car un prophète fonçait sur elle. Elle eut à peine le temps de saisir son bâton de marche, qu'elle avait pris soin de garder à portée de la main, près d'un rocher. Elle écarta les jambes et adopta une posture défensive. Elle priait pour que Keiko en finisse rapidement avec ses adversaires au moment où le prophète porta son premier coup, qu'elle parvint difficilement à parer. L'homme était rapide et savait manier son arme.

Keiko n'attendit pas que ses adversaires soient près de lui. Ses puissantes griffes labourèrent le sol, alors qu'il s'élançait rapidement vers eux. Il bouscula d'un coup d'épaule le premier prophète, le projetant au sol. Ce dernier parvint néanmoins à atteindre le cou de l'ours, mais il s'agissait d'une petite éraflure. Keiko bondit ensuite sur l'autre homme qui suivait. Il le renversa avec aisance, et planta ses dents dans sa gorge. D'un puissant coup de gueule, il lui arracha la trachée, puis il le laissa agonisant au sol, alors que la créature approchait. Keiko se redressa sur ses pattes arrière et lança un cri de défi à son adversaire, qui le dépassait de plusieurs centimètres.

Le choc de leur rencontre fit trembler le sol. Les griffes déchirèrent chacun des adversaires : de la fourrure vola au vent, tout comme des bouts de la carapace naturelle de la créature. Keiko mordit l'avant-bras de son adversaire. Il eut beau serrer, ses crocs ne percèrent pas son épaisse peau. La créature répliqua, l'atteignant à la tête. Heureusement, l'ours parvint à esquiver partiellement le coup. Il fut atteint par le poignet dur comme une pierre de la bête. Keiko était sonné et vit des lumières danser devant ses yeux. Il secoua la tête et reprit rapidement ses esprits.

Leur combat se poursuivit pendant de longues minutes. Les deux adversaires s'infligeaient de sérieuses blessures. Ce que Keiko concédait en force, il le gagnait en vitesse. Il possédait deux atouts, dont il devait tirer parti s'il espérait gagner ce combat : sa vitesse et sa patte droite, avec laquelle il parvenait à blesser son adversaire. Il recula de deux pas, feignant une retraite. La créature ne tomba pas dans le panneau en se lançant aveuglément sur lui. Elle avança plutôt avec circonspection. Keiko s'efforça de faire fi de ses blessures, qui le faisaient intensément souffrir, puis il courut de toutes ses forces sur ses pattes arrière, se propulsant vers son ennemi. Sa patte gauche se souleva et la créature leva son bras droit, jusqu'à ce qu'elle soit parallèle au sol, afin de bloquer l'attaque de l'ours. À la dernière seconde, Keiko frappa plutôt la bête de la droite. Il eut la satisfaction de voir les griffes de sa patte bénie pénétrer dans le cou de la créature. Il vit les quatre yeux sans pupille de celle-ci s'arrondir de surprise. Il donna un violent coup de côté, espérant que cela suffirait à l'achever. La créature croula au sol en gémissant de douleur. Keiko haletait, affaibli par la perte de sang. Son dernier effort lui avait fait perdre toute l'énergie qu'il lui restait. Étonné, il vit la créature se redresser lentement et se diriger de nouveau vers lui en titubant. Il serra les dents et se prépara à vendre chèrement sa peau, lorsqu'il entendit un sifflement ; une flèche de Servia, qui atteignit sa cible. Le projectile avait pénétré de quelques centimètres dans la tête de la créature, qui s'effondra pour la seconde fois. Keiko remarqua qu'elle respirait encore. Il s'avança près d'elle et planta ses griffes dans sa poitrine, espérant transpercer son cœur. Apparemment, la créature possédait une anatomie assez similaire à celle des humains, car cette blessure l'acheva. Ses deux paires d'yeux perdirent alors leur éclat.

Keiko se tourna vers Servia. Il la vit, assise au sol. Elle était blessée à la cuisse et la blessure saignait abondamment. Elle était quand même parvenue à décocher ses flèches avec précision. Elle ne regarda pas son ami. Elle posa plutôt son arc au sol et retira son couteau de sa ceinture. À ses pieds, un homme gémissait ; il avait mis sa main sur sa tête, où une énorme bosse commençait à apparaître, là où le bâton de la jeune femme l'avait atteint. Keiko ne sut pas si Servia grimaçait à cause de la douleur ou à cause du geste qu'elle s'apprêtait à poser, mais de sa lame, elle acheva le prophète à ses pieds. Keiko se souvint alors de l'autre, qu'il avait bousculé au passage. Il ne l'avait certainement pas tué en l'envoyant au sol. Il se retourna et le vit, inerte, une flèche plantée dans le bas du dos, à la hauteur des reins. Les projectiles de Servia semblaient immanquablement atteindre les parties vitales de l'adversaire. Keiko se demanda si c'était de la chance où si Servia était particulièrement douée.

De son couteau, Servia venait donc d'éliminer le dernier des prophètes. Keiko se traîna péniblement jusqu'à Servia, qui s'était laissée aller sur le dos. Il voyait sa poitrine qui se soulevait rapidement, alors qu'elle tentait de reprendre son souffle. Il fut toutefois devancé par Brega, qui vint poser son nez sur la jambe blessée de sa maîtresse.

CHAPITRE XV

RENCONTRES

L e château grouillait d'activité, comme dans une fourmilière. Ce n'était pas la panique, mais presque. Heureusement, Lucius, en donnant les ordres nécessaires, avait réussi à rétablir l'ordre. Le conseiller, qui en avait pourtant vu d'autres lors de ses longues années de service, était à la fois nerveux et fébrile. Jamais il n'avait vécu pareille crise au sein du royaume de Ferrolia.

On avait appris la nouvelle ce matin et elle s'était répandue comme une traînée de poudre. Lucius se doutait bien que déjà, presque toute la ville fût au courant. Un messager était arrivé sur sa monture, exténuée par une longue chevauchée, afin d'annoncer que le roi Hatios était mort, assassiné par des brigands, alors qu'il devait rentrer au château le lendemain. Son corps avait été découvert près de la route. Ferrolia se retrouvait donc sans monarque.

Le vieux conseiller pensa immédiatement à l'héritière, qui devait arriver sous peu. Il envoya des messagers afin que Darius soit au courant de la situation. Dès que Miranda serait là, les gens, au château, en seraient informés.

Il faudra la protéger et ne pas la jeter immédiatement dans la gueule du loup. Pas question de l'emmener immédiatement au château, songea le vieil homme en frottant son menton, d'où pointaient les poils blancs de sa courte barbe.

Il envoya chercher le sage Mélénil afin d'évaluer les différentes solutions qui s'offraient à eux. Pour l'instant, Lucius savait qu'il était de son devoir de prendre les décisions en l'absence du roi et que personne ne contesterait ce fait. Il lui fallait donc préparer les funérailles de Hatios, le corps du défunt roi devant arriver le lendemain, avec les gardes qui étaient partis avec lui. En catimini, il devait également s'occuper de l'arrivée de l'héritière. Il songea ensuite à réunir les membres de leur conseil secret, afin de les consulter.

Servia et Keiko levèrent la tête et regardèrent le promontoire rocheux qui les dominait. Ils considérèrent les hauts murs et les tourelles du château de Ferrolia. Keiko avait rapidement guéri de ses blessures, grâce au souffle magique de Brega. Les deux amis, impressionnés par l'endroit, demeurèrent quelques secondes cois et immobiles. Keiko tira sur la manche de Servia.

— Allons d'abord au port, dit-il. Nous avons promis à Darius que ce serait la première chose que nous ferions en arrivant dans la capitale.

Servia tira sur la corde de Brega, qui ne se fit pas prier pour trotter fièrement aux côtés de sa maîtresse.

C'est le second, Paolo, qui les accueillit à bord du *Geignard*. Il les poussa littéralement à l'intérieur de la cabine du capitaine en marmonnant une histoire d'urgence et de mort.

Darius se leva prestement de la table où il rédigeait les bons de commande de marchandise au moment où il vit les deux jeunes gens pénétrer dans sa cabine.

— Servia, Keiko, je suis heureux de vous retrouver en bonne santé. Vous n'avez pas eu de problème ?

— Si, justement, répondit Keiko. Le grand maître des prophètes nous a suivis et la Dame Blanche nous a donné comme mission de l'éliminer. Nous y sommes parvenus, non sans difficultés. J'ai quelques cicatrices de plus qui peuvent en témoigner.

— Je n'en reviens toujours pas que vous ayez été choisis pour mettre en place ce nouvel ordre, s'exclama-t-il d'un air admiratif. L'Ordre de l'épervier, c'est bien ça ?

Les deux amis acquiescèrent.

— Avez-vous faim ? Ou soif ? demanda le capitaine.

— Pour être honnête, oui, dit Keiko.

— Paolo ! cria Darius qui savait que le second était juste de l'autre côté de la porte, prêt à recevoir ses ordres. Apporte à manger et à boire à nos amis, s'il te plaît.

Il n'attendit pas que la nourriture soit arrivée avant d'informer le duo des derniers événements survenus à Ferrolia.

— Servia, nous avons appris ce matin que ton père, le roi Hatios, est décédé. Je suis désolé de t'apprendre cette nouvelle.

La jeune femme sembla surprise, mais pas vraiment bouleversée.

— C'est un père que je n'ai jamais connu et je ne le regrette pas, surtout si je considère ce que j'ai appris sur lui au cours du voyage qui nous a conduits jusqu'ici. N'était-il pas un tyran ? demanda-t-elle.

Il y eut un long silence ; chacun était perdu dans ses pensées.

— Servia, dit finalement Keiko, hésitant, cela signifie que tu es maintenant la reine de ce royaume. N'est-ce pas, capitaine ?

— Probablement, mais encore faudrait-il obtenir l'approbation de Ferrol, lors de la cérémonie de couronnement, répondit Darius qui songeait à sa rencontre avec le conseil secret.

— Doucement, reprit Servia en fronçant les sourcils. Il n'est pas question que je devienne reine. Je ne suis même pas encore entièrement convaincue que je suis bien celle que vous croyez.

— Dans mon esprit, vous êtes bien Miranda, fille de Hatios et de Dalia, dit Darius en les invitant à s'asseoir d'un geste de la main. Ne m'avez-vous pas dit également que la Dame Blanche en avait fait mention lors de votre rencontre ? De toute façon, il y a un moyen simple de s'en assurer.

Paolo frappa deux petits coups à la porte et ouvrit sans attendre. Il apportait du pain, du beurre et de la bière.

— Le ravitaillement en nourriture est difficile ici. C'est tout ce que j'ai trouvé, dit-il en déposant les victuailles sur la table du capitaine. Nos réserves sont basses et nous avons de la difficulté à acheter des provisions. La ville semble au bord de la famine.

— Ça ira très bien, répondit Keiko pour le rassurer.

Le second les salua, puis se retira discrètement.

— Mangez, mes amis, dit Darius. Je dois ensuite vous conduire quelque part où je vous présenterai à une personne importante.

— Nous allons au château ? demanda Servia tout en mâchant une bouchée de pain.

— Non, pas tout de suite. La nouvelle de votre arrivée en ville n'a pas été ébruitée, seules quelques personnes de confiance sont au courant.

— Ah bon, et pourquoi ? demanda Keiko.

— Je préfère que ce soit la personne que nous rencontrerons qui vous explique tout ça. Je lui fais immédiatement porter un message afin qu'elle sache que vous êtes arrivés.

Servia se sentait inconfortable devant le regard scrutateur des deux vieux hommes qui la détaillaient des pieds à la tête. Keiko émit finalement un grognement qui eut pour effet de rappeler Lucius et Mélénil à l'ordre.

— Pardonnez-nous, fit le conseiller pour s'excuser, en s'inclinant légèrement. Darius n'a pas menti lorsqu'il nous a affirmé que vous ressembliez à votre mère. Vous comprenez, après toutes ces années, nous n'avions plus espoir de retrouver l'héritière.

— En supposant que vous soyez bien Miranda, ajouta Mélénil, vous conviendrez qu'avant de vous reconnaître comme étant l'héritière, nous voulons être sûrs de votre identité.

— Je n'en suis pas certaine moi-même, dit Servia en fixant le scribe. Je dois avouer que tout semble le prouver ;

néanmoins, je n'en suis pas convaincue. Darius m'a dit qu'il y avait un moyen d'en avoir le cœur net. Savez-vous de quoi il s'agit?

Lucius hocha la tête.

— En effet, il y a un moyen. Il suffit de vous soumettre aux pouvoirs d'Ulbar, grand prêtre de Ferrol. La magie de son dieu pourra nous donner une réponse définitive. Accepteriez-vous de passer ce test?

— Volontiers, répondit la jeune femme sans hésiter. Je désire connaître mes origines, c'est tout ce que je veux. Le trône du royaume ne m'intéresse pas.

— Vous savez que vous arrivez dans notre capitale à la suite de la mort du roi? demanda Lucius en poussant un soupir.

— J'ai appris la nouvelle.

— Je crois que votre présence parmi nous, à ce moment précis, est une bénédiction de Ferrol. Peut-être êtes-vous destinée à prendre la relève de votre père? C'est son sang qui coule dans vos veines après tout, ajouta le vieux conseiller, tremblant de fébrilité.

— Si je considère ce que j'ai appris sur lui, je préférerais que mon père soit quelqu'un d'autre. De plus, je vous l'ai dit, le trône ne me dit rien. Je n'ai même pas l'intention de demeurer à Ferrolia. En fait, mon but, en venant ici, c'est de découvrir mes origines. Keiko et moi n'avons pas d'autres plans pour l'avenir.

Les yeux de Lucius et de Mélénil s'arrondirent de surprise.

— Bon, nous en reparlerons quand vous aurez passé le test, les interrompit Mélénil. Avez-vous encore ces crises comme celles qui vous terrassaient lorsque vous étiez bébé?

— Elles ne se sont pas manifestées depuis près de deux ans.

On frappa trois coups à la porte. Les deux hommes échangèrent un regard inquiet.

— Qui est là? demanda Lucius, anxieux.

Personne ne devait savoir où ils étaient. Lucius avait pris soin de cacher à tous leur présence dans cette boutique désaffectée, tout près des quais.

— C'est moi, dit une voix qu'ils reconnurent immédiatement.

Mélénil s'empressa d'ouvrir la porte, qu'il referma aussitôt que l'homme fut entré.

— Vous ne pensiez tout de même pas vous cacher du regard de Ferrol, s'exclama l'homme en rejetant son capuchon vers l'arrière, dévoilant du même coup ses traits.

Il était assez vieux et il avait un regard malicieux. Lucius et Mélénil lui rendirent son sourire.

— Miranda et Keiko, dit le vieux conseiller, je vous présente Ulbar, grand prêtre de Ferrol. C'est un ami et une personne ayant à cœur le bien-être de la population du royaume.

— Appelez-moi Servia, dit la jeune fille en se levant et en tendant sa main au grand prêtre.

Sans aucune surprise, la magie d'Ulbar confirma l'identité de Servia. Elle était bien la fille de Dalia et de Hatios.

La jeune fille ne fut pas troublée outre mesure. Des deux, Keiko sembla le plus déstabilisé ; il réalisait vraiment, pour la première fois, les implications de cette révélation.

Jusque tard dans la nuit, Lucius, Mélénil et Ulbar racontèrent comment s'était déroulée la vie à Ferrolia depuis le départ de Miranda. Ils n'omirent aucun détail, et lui parlèrent même de l'existence du conseil qu'ils avaient mis sur pied et des plans qu'ils avaient échafaudés, afin de soutenir la population le mieux possible.

— Mon père aurait été assassiné, y êtes-vous pour quelque chose ? s'enquit Servia, sans détour.

Lucius devint livide.

— Jamais nous n'irions jusqu'à commettre un meurtre, je vous le jure. Je dois pourtant vous dire que nous envisagions d'éloigner Hatios du trône.

— Ce que dit Lucius est vrai, ajouta le grand prêtre. Je le jure au nom de Ferrol. Nous n'accepterions jamais pareille solution. D'ailleurs, c'est la principale raison de notre querelle avec Hatios. Ce dernier a déjà tué froidement l'un de mes prêtres et il s'apprêtait à faire de même avec vous.

— Je vous crois, dit la jeune fille, alors que Keiko, lui, semblait moins enclin à le faire. Je dois d'ailleurs vous remercier, grand prêtre. Darius m'a raconté que c'est grâce à la visite que vous avez rendue à ma mère, lors de cette nuit fatidique, que je suis encore en vie. Thom… Torkil en a fait mention à Darius.

Le grand prêtre inclina la tête.

— Ma chère, reprit Lucius en revenant au sujet qui le préoccupait, vous conviendrez que l'avenir du royaume est en jeu. Légalement, vous devriez être couronnée reine après une courte cérémonie où nous demandons la sanction de cette nomination au dieu de la mer. Par contre, vous dites que vous ne voulez pas gouverner Ferrolia. Je souhaiterais que notre conseil discute des difficultés que nous rencontrerons et de votre arrivée parmi nous. L'enterrement de votre père aura lieu demain et il me reste beaucoup de détails à régler. Le conseil devra donc siéger le jour suivant. Consentiriez-vous à demeurer ici en attendant ? Il y a tout ce dont vous avez besoin à l'arrière et quelqu'un en qui nous avons confiance verra à ce que vous ne manquiez de rien.

— Dites plutôt que vous allez envoyer quelqu'un afin de nous surveiller, dit Servia.

Les visages des trois hommes s'allongèrent et Lucius bafouilla quelques objections peu convaincantes. Servia éclata de rire à la vue de leurs mines déconfites, puis elle se tourna vers Keiko.

— Tant qu'à être ici, dit ce dernier en haussant les épaules, aussi bien en profiter pour se reposer.

— Très bien, dit la jeune fille. Nous acceptons votre proposition. S'il vous plaît, cessez d'avoir ces têtes d'enterrement, je blaguais…

CHAPITRE XVI

LE TRÔNE DE FERROLIA

Lucius confia la tâche d'accompagnateur au jeune noble Joshua. Ce dernier arriva à la boutique, hors d'haleine, quelques minutes après que Lucius, Mélénil et Ulbar eurent quitté les lieux.

Exaspérée, Servia, comme elle l'avait fait avec les marins du *Geignard,* dut demander à l'homme de cesser de faire des courbettes et de l'appeler Majesté.

— Appelez-moi Servia, dit-elle en réprimant un soupir d'impatience.

— Servia? demanda le jeune noble, dont les grands yeux verts étaient ronds d'étonnement. Pourquoi changer votre nom? Vous n'aimez pas celui que votre mère vous a donné? Miranda, je trouve ça joli.

La jeune femme se calma et alla même jusqu'à faire un demi-sourire lorsqu'elle vit la mine candide de Joshua.

— Pour l'instant, je préfère Servia. C'est le nom que je porte depuis toujours.

— Très bien Majes… très bien, Servia, se reprit le noble.

Servia observa Joshua, alors qu'il faisait l'inventaire de la nourriture qui se trouvait dans le garde-manger. Il était vêtu très élégamment, avec une veste bourgogne et cintrée, qui mettait sa taille fine en valeur. À sa ceinture pendait un fourreau contenant une rapière. Ses cheveux bruns étaient épais et ondulés et il arborait une barbichette en pointe et une très fine moustache. Servia ne douta pas que les jeunes femmes de la cour tournassent autour du noble, telles des vautours. Elle se retourna et vit Keiko qui l'observait en fronçant les sourcils. Imitant le geste fréquent de ce dernier, elle haussa les épaules, tout en lui adressant un clin d'œil. Elle se dirigea vers le jeune homme et lui donna un baiser sonore sur la joue. Comme elle s'y attendait, Keiko rougit.

Les deux jours passèrent rapidement. Joshua s'avéra être un compagnon intéressant et décontracté. Même Keiko, qui était au début méfiant et froid avec le jeune homme, se laissa gagner par sa bonne humeur et sa candeur. Joshua profita de ces moments pour leur apprendre maintes choses sur Ferrolia et sur les activités au château. Keiko et Servia furent particulièrement intéressés quand il leur parla des cours de maniement d'armes qu'on y donnait. Quand il vit leur intérêt, il leur offrit de venir avec lui, un de ces jours, afin d'assister à ces leçons.

Lucius revint comme promis, deux jours plus tard. Des cernes marquaient le dessous de ses yeux et ses épaules étaient voûtées par la fatigue. L'expression de son visage contrastait pourtant avec le reste. Ses yeux brillaient de vitalité et d'intelligence.

Il raconta tout d'abord comment s'étaient déroulées les funérailles du roi. Aucune larme n'avait été versée par la population lors du passage du cortège, les habitants avaient observé tout au plus un silence poli.

— Maintenant, dit-il en se frottant les mains, nous devons nous tourner vers l'avenir. Notre conseil s'est réuni et nous avons considéré les problèmes les plus urgents, le premier étant de trouver un successeur à Hatios.

Servia croisa les bras sur sa poitrine, elle appréhendait la suite.

— Majesté, ajouta Lucius, votre peuple a grandement besoin de vous.

Servia ouvrit la bouche pour répliquer, mais le vieux conseiller l'arrêta d'une main levée.

— Je sais, le trône ne vous intéresse pas. Néanmoins, écoutez-moi. La famine guette le royaume, autant dans les villes que dans les campagnes et l'hiver approche à grands pas. Le moral des habitants est à son plus bas. Nous devons rapidement prendre des mesures afin des les aider, mais plus que tout, en ce moment, ils ont besoin d'espoir et vous pouvez leur en donner. Nous vous aiderons dans votre tâche, soyez-en assurée.

Lucius continua son plaidoyer qui dura de longues minutes ; de temps à autre, Joshua ajoutait un commentaire. Servia attendit patiemment qu'il termine avant de leur raconter comment elle et Keiko avaient été choisis afin de mettre sur pied l'Ordre de l'épervier. Ils devaient avant tout répondre au besoin de la Dame Blanche. Lucius et Joshua demeurèrent bouche bée, incrédules. Servia leur montra alors les marques laissées par la déesse, de même que les bijoux qu'elle leur avait offerts. Keiko alla même jusqu'à se dévêtir et à se transformer en ours. Il le regretta lorsqu'il vit Lucius, le visage exsangue, porter une main à son cœur. Keiko pensa qu'il faisait une crise, mais ce ne fut pas le cas. Servia dut aussi ordonner à Joshua de rengainer son épée. Keiko donna un coup de griffe sur la porte en métal de l'âtre, y laissant de profondes entailles. Cet exploit suffit à convaincre Lucius et Joshua de leur histoire.

Le vieux conseiller demeura pensif, alors que Keiko reprenait sa forme humaine. Joshua l'inonda de questions pendant qu'il se rhabillait.

— Très bien, dit finalement Lucius, nous devrons faire avec. Voici ce que je propose. Vous devriez nommer un intendant qui verra à exécuter vos ordres lorsque vous serez appelée à vous absenter. Il aura le pouvoir de prendre des décisions lorsqu'il ne pourra pas vous consulter. Vous demeurerez ainsi monarque de Ferrolia, mais vous pourrez accomplir les missions que vous confiera la Dame Blanche.

Servia refusa catégoriquement. Lucius continua d'argumenter, lui précisant que le malheur et le chaos risquaient de s'abattre sur le royaume en l'absence d'un monarque, confirmé dans ses fonctions par le dieu de la mer, surtout en ces temps de crise, alors que les gens manquaient de nourriture. Chaque fois que Servia s'opposait à lui, il répliquait en proposant solutions et compromis.

— Je ne veux pas être reine, un point c'est tout, lança Servia, toujours aussi entêtée.

Le vieux conseiller baissa la tête. À sa grande surprise, Keiko l'aida.

— Te souviens-tu quand la Dame Blanche nous a dit que l'Ordre devrait trouver des alliés et faire appliquer ses lois, autant par la force que par la diplomatie ? dit le jeune homme. Si tu étais reine, tu aurais un poids politique considérable. La vie de château ne me dit rien qui vaille ; néanmoins, je crois qu'il ne t'en coûtera pas grand-chose d'essayer. À ma naissance, je n'ai pas choisi d'être un change-forme, j'ai dû vivre avec cela. Je ne me suis jamais apitoyé sur mon sort ; enfin, presque jamais. Toi, tu es née princesse, tu ne peux rien y changer, malgré ce que j'en pensais il y a encore peu de temps.

Servia le regarda, estomaquée. Elle ne s'attendait pas à ce que son ami tienne de tels propos. À son tour, elle baissa les yeux pendant une bonne minute avant de fixer Lucius.

— Je dois être en mesure de quitter le château et le royaume à tout moment et peut-être même pour de longues périodes. J'accepte, à cette condition, de jouer votre jeu pour le bien de tous ces gens, mais seulement le temps que tout rentre dans l'ordre.

— Splendide, dit Lucius avec enthousiasme. Je serai près de vous, comme Joshua, Ulbar et bien d'autres afin de vous faciliter la tâche autant que possible.

Joshua, de son côté, souriait à belles dents. Il hocha la tête en direction de Servia avant de donner une petite claque dans le dos de Keiko.

— Bien joué, mon ami, dit-il.

Keiko sourit à son tour. C'était une première. Il était parvenu à faire changer Servia d'idée. Quand elle le regarda avec ses yeux noirs, il continua de sourire et haussa les épaules en passant une main dans sa tignasse. Ses joues s'empourprèrent.

— Un petit mensonge pour une bonne cause, ce n'est pas très méchant, avait dit Lucius à Servia en lui adressant un clin d'œil.

Depuis, il avait fait circuler la nouvelle dans la capitale, annonçant que l'héritière avait été retrouvée depuis un bon bout de temps, mais que l'information était demeurée secrète afin de protéger la princesse, que l'on cachait hors de la capitale. Ils se trouvaient tous dans la boutique abritant les deux amis. Il y avait, en plus du conseiller, du sage et de Joshua, le grand prêtre Ulbar, la baronne Savanna et Darius.

— Nous allons arranger une fausse arrivée dans Ferrolia, avait suggéré Mélénil. Je crois que dans trois jours, ce serait parfait. D'ici là, nous aurons le temps de tout préparer. Lucius, il te faudra enseigner l'étiquette de la cour à notre jeune reine.

— Je m'en occupe, dit le conseiller. À son entrée en ville, je propose de la conduire au château, escortée par la garde royale. Elle pourrait faire son premier discours, juste avant d'entrer. Elle devra mentionner que l'application de ses nouvelles décisions sera conditionnelle à la réussite de la cérémonie du couronnement.

— Je vais préparer la cérémonie, dit le grand prêtre. Elle pourrait se dérouler dans une semaine.

— Parfait, continua Mélénil. Lucius, vous parliez de son premier discours. Il sera très important. Sur quels sujets portera-t-il?

— Demandons à la future reine ce qu'elle en pense, dit le conseiller en se tournant vers Servia, décidé à la tester.

La tête de la jeune fille lui tournait, alors qu'elle tentait d'assimiler tout ce que les personnes présentes disaient. Elle se sentait perdue et très loin de posséder les talents nécessaires pour devenir une bonne reine. Elle regarda tour à tour les personnes à la table. Keiko lui adressa un léger hochement de tête en guise de soutien.

— En bien, je ne sais pas trop, dit-elle en réfléchissant. Elle ne s'était jamais sentie aussi intimidée qu'en ce moment. Alors que nous faisions route vers la capitale, nous avons entendu beaucoup de gens maugréer. Plusieurs estiment qu'ils n'auront pas assez de nourriture pour passer l'hiver, d'autres se plaignent des nouvelles taxes et des soldats qui viennent les collecter. Je ne sais pas si c'est faisable, mais pourquoi ne pas abolir les taxes, donner plus de nourriture aux habitants du royaume et punir les soldats qui auraient agi de manière violente ?

Lucius sourit. Les suggestions, même si elles avaient été énoncées de façon naïve, étaient pertinentes.

— Voilà qui est bien, dit-il. Par contre, nous ne pouvons éliminer toutes les taxes. Le trésor doit demeurer à un niveau acceptable, de manière à financer une éventuelle guerre ou des problèmes particuliers. Par contre, je propose que vous annonciez que la dernière taxe imposée par votre père sera abolie. Nous pouvons aussi préciser que nous baisserons les autres taxes pour deux ans, le temps que les gens se remettent de cette année difficile. Ensuite, ma reine…

— Appelez-moi Servia quand nous sommes entre nous, lui rappela la jeune femme. Cela me met mal à l'aise.

— Pas Miranda ? demanda Mélénil.

— Si je règne, ce sera sous le nom de Servia. C'est le prénom que m'a donné mon père adoptif. Miranda sera mon second nom, qui ne paraîtra que sur les documents officiels.

— Elle sait ce qu'elle veut, hein ? dit Joshua en éclatant de rire.

Il fut imité par Keiko, mais le regard des autres membres de l'assemblée, incluant celui de Servia, mit vite fin à leur accès d'hilarité.

— C'est tout à fait raisonnable, concéda Lucius. Vous serez donc Servia 1ère. Pour revenir à vos demandes... Fournir de la nourriture aux gens pose un problème. Nous pouvons certes redistribuer une part des céréales engrangées au château, mais c'est tout. La nourriture est rare, et ce, partout dans le royaume.

L'assemblée demeura quelque temps silencieuse, tous réfléchissaient au problème.

— Il faudrait qu'il y ait plus de gens qui travaillent à produire de la nourriture, annonça simplement Keiko.

— C'est ça ! approuva Mélénil en tapant des mains. Nous allons mettre sur pied un programme. Les gens qui produisent des denrées, qu'ils soient pêcheurs, fermiers ou autres payeront moins de taxes que les autres. Encore là, cette mesure ne sera que temporaire.

— Je crois que c'est faisable, précisa Lucius en se frottant le menton. Nous verrons si ce sera efficace et si plus de gens se lanceront dans la production de nourriture. Bon, ce sera suffisant pour aujourd'hui. Joshua, pourriez-vous vous faire en sorte que Servia et Keiko quittent la ville secrètement jusqu'au jour de leur arrivée officielle ?

— Aucun problème, dit le jeune homme, enthousiaste. Ils résideront dans notre manoir d'été. Je me porte garant de la discrétion de mes employés. En plus, c'est près d'ici, à peine plus d'une heure à cheval à partir du château.

— D'accord, conclut Lucius. Le plus tôt sera le mieux, je ne veux pas risquer que quelqu'un les aperçoive d'avance et ils ne peuvent demeurer prisonniers entre quatre murs. J'irai passer une ou deux journées là-bas, afin de transmettre à Sa Majesté un maximum d'information.

— Servia, reprit la jeune femme pour le corriger.

— Excusez-moi, dit le vieil homme en se levant de sa chaise. Allez, je ne sais pas pour vous, mais j'ai besoin d'une bonne nuit de repos.

Les invités se saluèrent, puis quittèrent tour à tour la boutique. Darius demeura quelques minutes de plus avec Keiko et Servia. Le jeune homme leur servit chacun une chope de bière, avant de se laisser tomber sur un divan.

— Une journée de marche rapide est beaucoup moins éreintante qu'une soirée comme celle que nous venons de passer, fit remarquer Keiko avant de boire la moitié de sa chope d'un trait.

Darius leva la sienne en signe d'assentiment. Lui non plus ne se sentait pas dans son élément. Prendre des décisions sur un bateau, c'était naturel pour lui, mais prendre des décisions qui avaient des répercussions sur toute la population d'un royaume, c'était une tout autre chose.

Servia poussa un long soupir.

— Par tous les dieux, dans quelle galère nous sommes-nous embarqués ?

CHAPITRE XVII

NOYADE OU CÉLÉBRATION

L e cortège chemina lentement dans les rues bondées de Ferrolia. On applaudissait à tout rompre le retour inattendu de l'héritière du trône. Une dizaine de gardes, dans leur livrée d'apparat, ouvraient la marche en portant l'étendard du royaume, un château blanc surplombant une mer indigo. Servia avait tenu à ajouter un autre étendard, il s'agissait de la silhouette noire d'un épervier sur un fond vert. Elle montait une belle jument ébène, à la suite des gardes. Elle portait des vêtements neufs, simples, seulement agrémentés de fines broderies d'or. Lucius et Mélénil n'étaient pas parvenus à lui faire changer d'idée, eux qui désiraient la voir porter une robe. Servia n'avait pas cédé sur ce point. Elle était vêtue d'un pantalon noir ample, de bottes de cuir montant jusqu'aux genoux, d'une chemise blanche avec un peu de dentelle au cou et aux poignets, et d'une veste courte de couleur pourpre.

Légèrement en retrait se trouvait Keiko, lui aussi sur un cheval, et il tirait Brega. L'âne, les oreilles dressées, regardait les visages qui défilaient devant lui, espérant que l'un des spectateurs s'avance pour lui offrir une pomme ou une carotte. Tout juste derrière se tenaient Lucius, qui se verrait bientôt attribuer le titre d'intendant, et Ulbar, grand prêtre de Ferrol. Par sa présence, ce dernier désirait montrer à la population que les liens entre son culte et la royauté s'étaient ressoudés. Plusieurs dignitaires complétaient le cortège, dont la baronne Savanna, Joshua et Darius.

L'accueil fut chaleureux, comme s'y attendait Lucius. Ses espions dans le château et aux environs lui avaient confié que l'arrivée de l'héritière était généralement bien perçue. Quelques habitants doutaient de sa véritable identité, trouvant étrange qu'elle apparaisse ainsi, tout juste après le décès de son père.

«C'est une drôle de coïncidence», affirmaient les plus méfiants.

Lucius savait que tout doute serait effacé si Ferrol, lors de la cérémonie de couronnement, acceptait Servia comme souveraine du royaume. Il avait également affirmé qu'elle était bénie des dieux, et qu'elle et son garde du corps et ami avaient été choisis pour mettre sur pied un nouvel ordre. Le discours que livrerait Servia viendrait confirmer ces rumeurs.

Le conseiller avait mis Servia en garde. Il lui fallait éviter le plus possible de parler de son passé, du moins pour l'instant, et surtout de ce qu'elle savait de la nuit où elle avait quitté Ferrolia. Il fallait que les habitants se tournent vers l'avenir, au lieu de s'apitoyer sur leur sort et de ressasser constamment les événements passés, qu'ils ne pouvaient pas changer de toute façon.

Servia avançait comme dans un rêve. Elle se sentait détachée de son corps, comme si elle n'était pas la personne à la tête de ce cortège et comme si tous les yeux n'étaient pas tournés vers elle. Elle se répéta mentalement, pour une centième fois, le discours qu'elle devrait faire dans quelques minutes. Ses mains moites glissaient sur les rênes de sa monture et même si elle était entourée de milliers de personnes, elle se sentait effroyablement seule.

Ils parvinrent finalement aux portes du château devant lequel une tribune avait été aménagée. Elle s'installa sur la partie la plus élevée, Lucius d'un côté et Keiko de l'autre. Ulbar et Mélénil demeurèrent une marche plus bas, de chaque côté. La foule se massa devant la tribune.

Des valets apportèrent des rafraîchissements aux membres du cortège. Servia remarqua qu'elle tremblait de nervosité, alors qu'elle tenait la coupe de vin qu'on lui avait remise. Elle respira profondément et se tourna vers Keiko. Ce dernier lui sourit afin de la rassurer, mais Servia devinait bien qu'il était aussi nerveux qu'elle. Keiko aussi avait revêtu des vêtements d'apparat. Il était habillé de vert et de noir et on lui avait remis une superbe épée qu'il portait fièrement à sa ceinture. Dans sa main gauche, il tenait l'étendard de l'Ordre de l'épervier, alors que Lucius tenait celui de Ferrolia.

Servia parvint à livrer son discours correctement, sans rien omettre. À la fin, les gens scandèrent le nom de Servia 1ère. Les nouvelles annoncées ne pouvaient que plaire à la population. Servia leva les bras afin d'exiger le silence.

— Étant donné que je serai votre reine uniquement si Ferrol m'accorde sa bénédiction lors de la cérémonie qui se tiendra dans deux jours, je ne m'assoirai pas sur le trône et je ne résiderai pas dans les appartements royaux d'ici là. Si je suis couronnée, ma première action, après m'être assurée d'appliquer les mesures dont je vous ai parlé lors de mon discours, sera de juger les soldats qui ont maltraité les habitants du royaume. Selon ce que j'ai appris, il s'agit de quelques hommes seulement. Je tiens à préciser que malgré cela, j'ai confiance en mes gardes royaux et en l'armée. Je vous souhaite une bonne journée.

Servia pénétra ensuite pour la première fois dans le château de sa famille, sous les acclamations de la population.

Il y avait encore plus de personnes massées sur les quais pour la cérémonie de couronnement que lors de l'arrivée de Servia. La population était impatiente de voir si le dieu de la mer allait approuver ce choix. Rarement le royaume avait été sous l'autorité d'une femme. Lorsqu'un roi mourait, son fils aîné était appelé à lui succéder. S'il n'avait pas de fils, le trône revenait à sa fille aînée, et s'il n'avait pas eu d'enfant, la reine, sa femme, prenait la relève.

Les quais avaient été libérés pour l'occasion. Tous les bateaux qui y étaient amarrés avaient jeté l'ancre un peu plus loin, au large, formant un demi-cercle.

Servia arriva, accompagnée d'une imposante escorte. Elle était vêtue pour l'occasion d'une simple robe d'épais velours indigo à l'encolure carrée. Sur sa poitrine étaient brodées des vagues blanches. Les gens lancèrent des vivats lorsqu'elle passa devant eux. Elle prit soin de les saluer en leur adressant son plus beau sourire.

Le rituel était simple. Servia devait tout d'abord descendre dans l'océan, entièrement vêtue, le temps que durait la cérémonie, soit près d'une heure. On lui avait donné une vessie de porc cousue et gonflée d'air afin de lui permettre de flotter sans avoir à nager.

La jeune femme se rendit à l'endroit prévu, où des marches descendaient dans la mer. Ulbar et Lucius lui avaient bien indiqué ce qu'elle devait faire. Sa vessie de porc sous le bras, elle descendit dans l'eau glacée. Des servants avaient pris soin d'enduire son corps de graisse afin de préserver le plus possible sa chaleur corporelle. Sa robe se satura d'eau et devint par le fait même très lourde. Heureusement, la vessie gonflée lui permettait de se maintenir la tête et les épaules hors de l'eau sans problème. En battant des pieds, elle s'éloigna des quais d'une trentaine de mètres. Elle ne savait pas nager et le fait de se retrouver ainsi dans l'océan, heureusement calme ce matin-là, la rendait nerveuse. Elle se tourna vers les quais et attendit la suite.

Ulbar et cinq de ses prêtres étaient montés sur une plate-forme haute de trois mètres. Ils joignirent leurs mains et baissèrent la tête. Le grand prêtre entonna un chant à la gloire de Ferrol. À tour de rôle, chacun des autres prêtres prit la relève et chanta une ode différente, adressée au dieu de la mer. Le troisième n'avait pas encore terminé que Servia, les lèvres bleues, grelottait déjà de froid. Après la dernière note, Ulbar prit la parole, prononçant les strophes habituelles du rite de couronnement; il s'agissait d'une prière à Ferrol. Il lui demanda de bénir toute la population, et surtout, de donner son aval à cette cérémonie.

— Prouve-nous que Servia est digne de devenir la prochaine souveraine du royaume, déclara-t-il en levant les bras et le visage au ciel.

Les prêtres lâchèrent leurs mains et, à l'unisson, ils chantèrent de nouveau en levant les bras au ciel. Ulbar se tourna vers le large et vers Servia, qui attendait la suite avec appréhension. Le grand prêtre tendit une main, paume vers le ciel, en direction de la jeune femme. Aussitôt, l'outre qui la maintenait à flot se dégonfla. Elle eut juste le temps de prendre une grande respiration avant que le poids de sa robe détrempée l'entraîne vers le fond.

Servia tentait de rester calme et de ne pas paniquer. Elle sentit qu'un courant marin la remuait. Elle n'aurait su dire dans quel sens. Elle se força à ouvrir les yeux. Au-dessus d'elle, le soleil brillait. Elle se sentit tout à coup en paix avec elle-même, et surtout, avec l'environnement marin qu'elle considérait hostile quelques instants auparavant. Elle vit des ombres circuler autour d'elle, mais n'eut pas peur. La jeune femme réalisait qu'elle remontait rapidement vers la surface, sans qu'elle ait à effectuer le moindre mouvement.

Soudainement, elle se retrouva à l'air libre, flottant comme un bouchon de liège. Le poids de sa robe ne l'empêchait plus de se maintenir à flot. Son corps était en dehors de l'eau à partir de la taille, sans qu'elle fasse aucun effort. Servia sut alors que Ferrol avait entendu la prière de ses prêtres et qu'il avait accordé sa bénédiction à son couronnement. C'était grâce à lui si elle ressentait ce sentiment soudain de tranquillité et de bien-être.

Dans le cas contraire, Servia aurait continué de descendre vers les fonds marins et s'y serait noyée.

Les gens applaudirent et crièrent avec enthousiasme le nom de leur nouvelle souveraine. Leurs cris de joie se changèrent soudainement en murmures de surprise, lorsque quatre dauphins bondirent hors de l'eau par-dessus la tête de Servia et qu'un épervier vint la survoler en poussant un cri strident.

— Elle est vraiment bénie des dieux, chuchota Ulbar pour lui-même, et pas seulement de Ferrol.

Le prêtre n'avait jamais été témoin de tels événements lors d'une cérémonie du genre. Jamais les dauphins, créatures bénies de Ferrol, ne venaient pour de telles occasions et aucun épervier n'apparaissait ainsi au-dessus de la mer. Le prêtre envoya une barque richement décorée vers la reine afin de la sortir de l'eau. Ensuite, elle monta sur la plate-forme, sa robe épaisse moulant son corps longiligne et Ulbar déposa sur sa tête le diadème royal.

Servia rentra au château, soulagée, mais exténuée par le stress de l'épreuve qu'elle venait de subir. Une servante l'entraîna vers les appartements royaux, enveloppée d'une couverture de laine. Elle se nommait Janice et elle était à peu près du même âge que Servia. Elle l'informa qu'un bain chaud l'y attendait et qu'un feu avait été allumé dans le grand foyer. Keiko l'accompagna.

Les deux amis furent stupéfaits par la richesse des lieux lorsqu'ils pénétrèrent dans la suite royale.

L'attention de Servia fut presque immédiatement accaparée par deux grands tableaux au fond de la pièce. Elle tendit une main tremblante et les montra du doigt.

— Janice, qui sont ces gens sur ces tableaux ? demanda-t-elle d'une voix chevrotante.

— C'est votre mère, Dalia, et votre père, le défunt roi Hatios, répondit aussitôt la servante.

Servia sentit ses forces l'abandonner et ses genoux fléchir. Janice poussa un cri de surprise, alors que Keiko se précipitait vers son amie.

— Servia, que se passe-t-il ? demanda le jeune homme en s'agenouillant près d'elle, la voix empreinte d'inquiétude.

— Regarde ces tableaux, Keiko, dit Servia d'une voix à peine audible. Que la Dame Blanche et tous les dieux me pardonnent… J'ai tué mon père !

CHAPITRE XVIII

SUR LES AILES DE LA GUERRE

S ervia n'arrivait pas à se déculpabiliser. Même si elle ne le connaissait pas et qu'elle avait agi pour sauver la vie de Keiko, elle avait tué son père. Elle revoyait sans cesse les images de ce fourbe qu'ils avaient rencontré deux jours avant d'arriver dans la capitale. Elle revoyait son sourire mauvais, alors qu'il plantait sa dague dans le cou de Keiko, après qu'il eut maltraité et tué un pauvre hère. Malgré cela, cette mort la hantait. Lucius et Ulbar tentèrent de la rassurer en lui rappelant qu'elle avait agi en légitime défense, mais rien n'y faisait. Le conseiller avait évité d'ébruiter l'affaire, du moins tant que l'autorité de la nouvelle reine ne serait pas parfaitement assise.

En plus de ses remords, la jeune femme ne s'habituait pas à la frénésie qui régnait dans le château, même si elle le laissait peu paraître. Lucius, l'intendant nouvellement nommé, lui assurait qu'elle se tirait parfaitement d'affaire depuis son couronnement, deux semaines plus tôt. Si Servia l'avait entendu se confier à ses proches, elle aurait peut-être été rassurée. Lucius ne se faisait pas prier pour vanter son intelligence, et son esprit cartésien et pragmatique. Il la savait capable de pitié, autant que de fermeté, si cela s'avérait nécessaire. Selon lui, elle possédait toutes les qualités nécessaires pour devenir une bonne souveraine. Il ne lui restait qu'à prendre de l'expérience et à apprendre aussi les subtilités du monde politique.

Bien sûr, elle avait été prise au dépourvu à quelques occasions, mais comme promis, Lucius, Ulbar ou Mélénil étaient rapidement venus à son secours pour la tirer élégamment d'embarras, tout en s'assurant de ne pas miner sa crédibilité. Les espions de Lucius lui rapportaient que la population ne parlait qu'en bien de la nouvelle reine, non seulement dans la capitale, mais également dans les régions plus éloignées du royaume.

Keiko n'était pas plus à l'aise que sa compagne, lui qui avait toujours vécu seul en forêt, mais il n'en montrait rien et prenait à cœur son rôle de garde du corps. Les seuls instants où les deux amoureux se retrouvaient comme avant leur arrivée en ville se présentaient lorsqu'ils effectuaient un saut dans la cour d'exercice pour y rencontrer le maître d'armes.

Souvent, Joshua les accompagnait. Les deux amis attendaient avec impatience ces moments qui leur rappelaient le temps passé avec l'ermite Thamil. Servia appréciait encore plus ces sessions, car c'étaient les seules occasions où elle se permettait de porter des pantalons.

Au début, le maître d'armes s'était montré réticent à enseigner son art à la reine, mais lorsqu'il l'avait vue décocher des flèches et se débrouiller avec un bâton, il s'était ravisé. Même si elle ne possédait pas la force pour devenir une combattante parfaite, elle était rapide et agile, presque autant qu'une elfe. Plusieurs de ses soldats auraient envié ses talents.

Pour leur plus grand plaisir, les séances d'entraînement avaient lieu presque tous les deux jours. Le grand maître donna quelques conseils à Servia pour le tir à l'arc. Il lui fit surtout pratiquer le tir au galop, sur une monture. Il lui montra également les rudiments du combat à l'épée.

Keiko, de son côté, passait encore plus de temps à s'exercer avec des vétérans. Aussitôt qu'il était libéré de ses tâches auprès de Servia, il accourait afin de se familiariser avec le maniement de l'épée. Le maître avait choisi pour lui, non pas la petite épée qu'on lui avait fournie pour les cérémonies, mais une arme plus lourde qu'il pouvait manier à une ou deux mains. Très peu de soldats de Ferrolia possédaient la force nécessaire pour manipuler une telle arme de guerre. Keiko portait toujours sa lourde épée dans un fourreau, passée obliquement dans son dos. La poignée de l'épée dépassait au-dessus de son épaule droite, prête à être rapidement saisie.

En raison de sa force et de sa volonté de s'améliorer, le jeune homme avait rapidement gagné le respect du maître d'armes et de tous les soldats qu'il avait côtoyés. Il n'avait eu aucun problème à accorder sa confiance à ses compagnons d'exercice ; toutefois, il en était tout autrement avec les nobles, presque tous hautains, qui défilaient à la cour. Joshua était l'exception.

Keiko retourna dans ses quartiers afin de faire un brin de toilette ; la dernière séance l'avait laissé en sueur et le souffle court. Il grimaça lorsqu'il songea au bal qui devait avoir lieu le soir même. Ce premier bal officiel attirait à la cour une multitude de nobles venus féliciter la reine, et par le fait même, lui présenter leurs doléances. En prévision de cette soirée, Joshua lui avait même enseigné quelques pas de danse, ce qui avait mis Keiko très mal à l'aise, mais avait bien fait rire le jeune noble. Mélénil, reconnu comme un élégant danseur, avait fait de même avec la reine. Tout le monde s'activait dans le château en raison des préparatifs. Dans la cuisine, on s'affairait comme dans une ruche d'abeilles, pendant que des serviteurs décoraient la salle de bal. Les fenêtres étaient toutes grandes ouvertes pour y laisser pénétrer l'air frais.

Les invités qui n'étaient pas déjà au château le soir venu arrivèrent dans des carrosses ; les moins nantis dans des chariots décorés. Servia, assise sur son trône au fond de la salle de bal, les saluait tous un à un, à mesure qu'ils lui étaient présentés par Lucius. Ils avaient tous apporté des cadeaux qu'ils présentaient fièrement à la souveraine. Le dernier arrivé, un noble âgé et dénommé Tap, se prosterna devant Servia qui soupira intérieurement. Elle ne s'habituerait jamais à cette coutume. Le vieil homme lui présenta un coffret en inclinant la tête.

— J'aurais aimé vous offrir plus. Ces derniers temps ont été éprouvants, murmura-t-il, afin d'être entendu seulement par Servia, qui se pencha en avant afin d'accepter le cadeau.

La jeune fille observa subrepticement le vieil homme dont les oreilles étaient rouges de gêne. Ses vêtements, de bonne coupe, étaient élimés et légèrement décolorés.

Manifestement, il se sentait mal à l'aise. Servia regarda le présent du noble, un coffret de bois entièrement recouvert de pierres multicolores. Il ne s'agissait pas de pierres précieuses, mais d'imitations de peu de valeur. Servia, qui n'y connaissait pourtant rien, le devina. L'objet, aux couleurs criardes, gagnait de loin la palme du cadeau le plus laid qu'elle avait reçu jusqu'à maintenant.

Servia s'en souciait peu, le malaise de son vis-à-vis la touchait davantage. Elle ouvrit le coffret et vit qu'il contenait des plumes, des bouteilles d'encre et des rouleaux de parchemin fins.

— Sire Tap, dit-elle en souriant au noble qui l'observait en tordant son chapeau dans ses mains. C'est un présent qui m'honore.

— Voyez-vous, s'excusa le noble, ma richesse n'est plus ce qu'elle a déjà été et…

Servia l'arrêta en levant une main, puis elle s'approcha de son oreille.

— Quelque chose me dit que ce cadeau, c'est plus que ce que vous pouvez réellement m'offrir. J'en suis flattée. Soyez assuré que je vais tout faire pour vous le rendre au centuple en redonnant au royaume sa prospérité d'antan. Je vous remercie, sire Tap, et je vous assure que mes meilleures pensées vous accompagnent.

Elle se redressa tout sourire. Le noble demeura aussi rouge qu'avant, mais cette fois, c'était le plaisir et non la gêne qui empourprait ses joues. Lucius n'avait pas entendu les propos de la reine, mais il était excellent pour reconnaître les émotions sur les visages des gens. Il lui fut facile de deviner que Servia venait de gagner l'amour de l'un de ses sujets. Sire Tap souriait encore lorsque Lucius présenta le noble suivant à la reine. Pendant les deux heures que durèrent les présentations, Servia s'efforça d'être aussi aimable avec les nobles sympathiques comme Tap, ce qui lui venait naturellement, qu'avec les plus prétentieux qui regardaient de haut leurs semblables. Ceux-ci exaspéraient les gardes et les serviteurs, qui devaient continuellement endurer leurs sautes d'humeur et leurs remarques désobligeantes. Servia se sentait hypocrite de présenter ainsi un visage avenant à des gens qu'elle aimait peu. Elle se promit de parler de ces personnes à Lucius afin d'en connaître un peu plus sur eux.

Un repas fut ensuite servi aux invités. Il ne s'agissait pas des menus exotiques et élaborés qu'avait l'habitude d'offrir Hatios. La nourriture était excellente quoique modeste. Servia expliqua qu'elle voulait ainsi donner l'exemple en coupant dans les dépenses inutiles, alors que la famine guettait le royaume.

À la fin du repas, les tables furent rapidement retirées et les musiciens invitèrent les convives à danser. Keiko fronça les sourcils lorsqu'il vit l'un des nobles se diriger vers Servia, alors qu'il se tenait derrière elle. Il le connaissait bien. Il se nommait Basil et faisait partie de cette catégorie de gens qui avait amplement profité des largesses de la cour du temps de Hatios. C'est du moins ce que Joshua lui avait confié. Il traînait au château, aussi inutile qu'un vase décoratif. Depuis le jour du couronnement, le noble d'une trentaine d'années n'avait cessé de tourner autour de la reine, l'inondant de compliments, tentant de gagner ses faveurs. Ses commentaires, toujours à la limite de l'effronterie, plaisaient à certaines jeunes femmes et le noble était certain que la jeune reine ne pourrait résister à son charme.

— Majesté, dit Basil, un sourire en coin, vous êtes d'une beauté à couper le souffle. Je me plais à imaginer une soirée torride où nous serions deux à haleter, ajouta-t-il en riant de sa blague vulgaire.

— Basil, dit Servia d'un ton qu'elle s'efforça de garder neutre, ce commentaire est déplacé, n'oubliez pas à qui vous parlez. J'ai beau être plus jeune que vous, je n'en demeure pas moins votre reine.

Keiko vint se placer aux côtés de son amie, croisant ses bras sur sa poitrine. Si son regard avait pu lancer des éclairs au noble, il l'aurait foudroyé.

— Pardonnez-moi, Majesté, votre éclat me fait tourner la tête, dit-il en jetant un bref coup d'œil à Keiko. Que diriez-vous d'une petite promenade dans le jardin, à l'air frais, loin de votre omniprésent gorille et de son regard réprobateur?

Keiko montra les dents dans un rictus peu rassurant, mais Servia lui posa une main sur l'avant-bras. Basil planta son regard dans celui de Keiko, alors qu'il arborait un sourire mauvais.

— Majesté, vous devriez surveiller vos fréquentations, ajouta Basil. De jeunes mâles, comme celui qui vous suit partout, ne savent pas contrôler leurs pulsions et sont insouciants des conséquences de leurs actes. Venez donc avec moi, je saurai vous enseigner tout ce dont vous avez besoin.

Keiko fit un pas en avant, menaçant, la main sur la garde de son poignard, alors que Servia demeurait muette de colère.

— Vous voyez ce que je disais, dit le noble en souriant et en pointant la main de Keiko qui se refermait sur son arme, il n'a aucune retenue ni subtilité.

Servia se leva.

— Vous avez raison, je devrais faire attention à mes fréquentations, répondit-elle avant de lui tourner délibérément le dos. Keiko, allons danser.

Le noble rougit de honte, car Servia avait élevé légèrement la voix et quelques têtes s'étaient retournées. Joshua arriva de nulle part et saisit le coude de Basil.

— Cher Basil, dit-il d'une voix mielleuse, il y a un sujet qui me tient à cœur et dont j'aimerais vous entretenir. Allons donc un peu à l'extérieur, nous serons tranquilles. Je ne vous retiendrai que quelques instants.

Keiko devina que Joshua ne serait pas très courtois avec le noble. En une fraction de seconde, la colère de Keiko fit place à la panique lorsqu'il réalisa que Servia l'entraînait par la main vers la piste de danse. Danser lui fut plus pénible à supporter que toutes les blessures qu'on lui avait infligées jusqu'à maintenant. Il s'efforça de ne pas marcher sur les pieds de Servia et il y parvint presque.

À la fin de la danse, il s'excusa, demanda à l'un des gardes de s'occuper de la reine et sortit au plus vite de la salle de bal. Il marchait rapidement dans le corridor, lorsqu'il entendit la voix de Servia. Il s'arrêta.

— Keiko, attends-moi.

Elle le rejoignit et ils entrèrent dans un petit salon qui se trouvait à leur droite.

— Tu voulais me ridiculiser, c'est ça ? demanda Keiko en colère.

— De quoi parles-tu ? dit-elle, surprise de l'attitude de son ami.

— Je parle de la danse, bien sûr. Tu sais que je suis un danseur exécrable et tu m'invites devant toute la cour à danser.

— Je l'ai fait pour toi, grand bêta, lui dit-elle en lui assénant une claque sur l'épaule. La colère commençait à la gagner aussi. Je voulais montrer à tous que tu es mon préféré. Surtout, je voulais rendre la monnaie de sa pièce à ce Basil.

Keiko poussa un soupir et demeura quelques instants pensif.

— Je ne suis pas sûr que la vie de château soit faite pour moi, dit-il en passant une main dans ses cheveux. Toi, tu sembles bien t'en tirer. J'aimerais tellement que nous soyons tous les deux de retour sur la route. Je me rappelle que nous nous retrouvions au froid et à la pluie la plupart du temps, mais au moins, nous dormions ensemble. Depuis que nous sommes ici, nous avons passé toutes les nuits chacun dans notre chambre.

— Ce n'est que pour un temps, dit Servia. Je suis sûre que la Dame Blanche aura bientôt une nouvelle mission à nous confier et nous repartirons sur les chemins comme avant.

Elle posa une main sur l'avant-bras de Keiko.

— Il y a un moyen pour que nous puissions passer toutes nos nuits ensemble, même lorsque nous sommes au château, ajouta-t-elle avec un sourire espiègle.

— Lequel ? demanda Keiko, une lueur dans les yeux.

— Tu n'as qu'à m'épouser, dit Servia qui éclata de rire en voyant les yeux arrondis de son ami.

Elle s'approcha de lui et ils firent la paix en s'étreignant longuement.

— Nous devons retourner au bal maintenant, les invités vont se poser des questions.

Quand ils entrèrent dans la salle de bal, Lucius les attendait.

— Ah ! Majesté ! Je vous cherchais. Voudriez-vous venir dans la salle du trône immédiatement ? Nous venons de recevoir des nouvelles inquiétantes. Un messager arrivant du Sud nous dit que le royaume a été attaqué.

— Attaqué ? répéta Servia, par qui ?

— Par la reine de Brandan. La guerre est à nos portes.

CHAPITRE XIX

MESSAGERS

Servia prit Lucius à part, alors que le conseil de guerre faisait une brève pause.

— Je connais un peu le maître d'armes, je me suis entraînée avec lui, mais je ne savais pas qu'il était aussi le général de l'armée de Ferrolia, dit-elle. Il me semble compétent dans l'enseignement du maniement de plusieurs armes, mais l'est-il comme général? D'après vous, dois-je considérer ses suggestions et ses stratégies?

— Je ne vois personne d'autre dans le royaume qui pourrait mieux remplir cette fonction. Il a appris du général Klava, un vétéran qui l'a bien préparé. Zorta n'a pas connu beaucoup d'affrontements, puisque le royaume est en paix depuis plusieurs décennies; cependant, en plus de sa formation avec Klava, il a beaucoup étudié le sujet. Oui, je crois que nous devons porter une attention particulière à ses conseils.

Servia poussa un soupir. Lucius l'observa avec compassion.

— Ma pauvre enfant, dit-il en posant une main sur son épaule. Vous arrivez à un bien mauvais moment. Je sais que c'est très lourd pour vous qui êtes reine depuis si peu de temps.

— Il y a un mois, je ne savais même pas que j'étais de descendance royale, dit-elle en frottant ses yeux fatigués.

J'ai l'impression de descendre une pente en courant et que mon élan m'entraînera irrémédiablement dans une douloureuse chute.

Lucius lui pressa l'épaule pour la réconforter.

— Vous pouvez aller vous reposer un peu, je doute que le conseil ne s'achève bientôt, dit-il. Je peux prendre la relève si vous voulez.

La jeune femme secoua la tête.

— Non, je tiens à rester. Ce n'est pas que je n'aie pas confiance en vous, mais la situation est grave et je veux être impliquée dans le processus de décision. Retournons à la table. Le plus tôt nous recommencerons, le plus tôt nous pourrons regagner nos lits.

Le conseil de guerre s'étira presque jusqu'à la fin de la nuit. On y retrouvait bien sûr la reine et Lucius, ainsi que Keiko, Mélénil, Ulbar, Zorta et deux des ses officiers, en plus de Joshua et de la baronne Savanna. À eux s'était joint le messager qui leur avait apporté la terrible nouvelle. Il leur avait annoncé que l'armée de Brandan avait saccagé plusieurs villages, éliminant facilement les quelques miliciens qui s'étaient opposés à eux. L'ennemi ne faisait pas de prisonnier, leurs soldats tuant autant les hommes que les femmes. Il était impossible pour l'instant de deviner le nombre de soldats que les fidèles de Brand lançaient sur le royaume, mais on rapportait que leurs colonnes s'étiraient sur plus d'un kilomètre. Quand il eut terminé son rapport, le messager quitta la salle pour aller prendre un repos bien mérité.

Il fut décidé que Zorta verrait à la mobilisation des hommes de la capitale, mais aussi qu'il dépêcherait des messagers afin d'exhorter tous les hommes d'armes du royaume à se préparer à la guerre. La baronne Savanna approvisionnerait la ville en nourriture, en outils et en armes, au cas où la reine guerrière de Brandan pousserait ses troupes jusque-là. Servia et Lucius s'occupaient d'annoncer la nouvelle aux habitants du château. Les officiers de Zorta verraient à préparer l'armée de la capitale, afin qu'elle soit prête à quitter la ville le plus tôt possible, bien approvisionnée. Ils envisageaient de gagner le sud par les terres ou encore par bateau.

On décida aussi d'envoyer deux émissaires afin de rencontrer la reine guerrière et de lui demander ses exigences et les raisons de cet assaut. Joshua insista pour être cet émissaire.

— Le temps est mauvais depuis plusieurs jours et le vent n'indique pas que ça va s'améliorer, avait-il dit, il est risqué de prendre la mer. Nous devrons donc y aller à cheval et, sans vouloir me vanter, je suis l'un des meilleurs cavaliers de Ferrolia.

— Il serait bon qu'au moins l'un des deux émissaires soit un noble de la capitale qui connaît bien la reine et qui pourra parler en son nom. L'idée est bonne, avait ajouté Lucius.

Un des soldats de la capitale s'était joint à lui et deux heures plus tard, en plein cœur de la nuit, ils avaient quitté le château vers le sud, au grand galop, comme si tous les monstres d'Arménis étaient à leurs trousses.

Le peu de temps libre dont Servia disposait, elle le passait le nez dans les livres de la bibliothèque royale, lisant tout ce qu'elle pouvait trouver sur le royaume de Brandan. Keiko partageait généralement ses moments de lecture. Peu à peu, il devenait plus à l'aise, lui qui, peu de temps auparavant, était complètement analphabète. Ces périodes contrastaient radicalement avec l'infernal tourbillon d'activités au château et dans la ville entière.

Elle apprit beaucoup de choses sur cette société matriarcale qui menaçait Ferrolia. Elle grimaça lorsqu'elle découvrit qu'il s'agissait d'un peuple guerrier favorisant l'esclavage et fut surprise de constater que Brand, leur dieu, était en fait le même que celui que l'on nommait ici Ignès. La jeune fille découvrit également l'existence des vierges de fer, l'élite de la reine Célias.

Après un moment, elle songea à Joshua, se demandant si le jeune noble allait bien, puis elle s'imagina menant les armées du royaume à la guerre contre l'envahisseur. L'idée ne lui plaisait pas, mais elle ne demeurerait certainement pas derrière si ses troupes devaient se lancer contre l'ennemi. *Keiko sera à mes côtés,* songea-t-elle. Cette pensée la réconforta.

— Keiko, dit-elle, si nous allons à la guerre, est-ce que tu te battras avec ton épée ou sous ta forme d'ours?

Le jeune homme leva les yeux du livre qu'il lisait.

— Je n'en sais rien, répondit-il en haussant les épaules. Probablement les deux.

— Il nous faudra chacun une armure, ajouta Servia. J'y pense, nous pourrions demander qu'on te fasse une armure pour ta forme d'ours. Ça pourrait te protéger un peu.

— J'ai des doutes, dit Keiko en faisant la moue. Je crains que ce soit trop lourd et que je sois moins rapide.

— Avec ta force, le poids ne m'inquiète pas. Je vais m'informer. Je pense que ce serait une bonne chose, tu as déjà suffisamment de cicatrices. Quelques-unes, c'est joli, mais là…

Keiko la regarda, les sourcils arqués en tâtant son visage.

— Tu trouves vraiment que j'ai trop de cicatrices ?

Servia éclata de rire, puis elle alla s'asseoir sur ses genoux, face à lui, avant de l'embrasser passionnément.

Célias se reposait en sirotant une coupe de vin dans la tente qu'on venait de lui ériger. La reine de Brandan était satisfaite de la progression de ses troupes. Elle avait pu saisir un peu moins de bétail que prévu, à peine quelques centaines de têtes, qu'elle avait aussitôt envoyées vers Tarsa. Néanmoins, ses coffres s'emplissaient lentement, mais assurément d'or et de bijoux. Aucune résistance sérieuse n'avait entravé leur avancée vers le nord. À ce rythme, elle se retrouverait dans quelques jours aux portes de la capitale.

Elle se doutait bien que Ferrolia ne tomberait pas si facilement, et que bientôt, les soldats s'opposeraient en nombre à ses forces. Du talon, elle retira ses bottes de cuir tout en buvant son vin. Elle poussa un soupir de soulagement en étirant ses longues jambes ankylosées par les journées à cheval. Beretta, la doyenne des vierges de fer, pénétra à cet instant dans la tente.

— Ma reine, dit-elle, deux cavaliers ferroliens viennent de se présenter au camp sous le drapeau blanc. Ils disent qu'ils arrivent de la capitale et ils désirent vous parler.

Célias se redressa rapidement et s'empressa d'enfiler ses bottes.

— Faites-les entrer, mais qu'ils soient escortés par au moins six d'entre vous, dit-elle.

Beretta s'inclina, puis sortit. Elle revint quelques minutes plus tard, accompagnée de six autres vierges de fer, escortant deux hommes, l'un jeune et l'autre d'âge moyen, probablement dans la mi-trentaine. La reine fut surprise de voir que ce fut le plus jeune qui s'adressa à elle et non pas celui qui semblait le plus expérimenté.

— Reine de Brandan, dit-il en s'inclinant. Je me nomme Joshua et je suis un membre de la cour de Ferrolia. Éric, soldat de Ferrolia, m'accompagne.

Célias observa attentivement les deux Ferroliens. Ils étaient couverts de poussière et de boue et des cernes noirs se dessinaient sous leurs yeux. Ils avaient dû chevaucher à un rythme effréné depuis la capitale, s'arrêtant seulement pour dormir un peu et changer de monture.

— Je vous écoute, dit la reine.

— La reine Servia m'envoie afin de savoir pourquoi vous avez attaqué notre royaume sans que nous vous ayons provoqués.

— La reine, dites-vous ? s'étonna Célias. Je croyais que Ferrolia était dirigé par un roi.

— Le roi est mort et c'est maintenant Servia, sa fille, qui lui succède, déclara Joshua, qui ne voyait aucun problème à lui apprendre les dernières nouvelles. La reine demande que vous rebroussiez chemin et que vous retourniez dans votre royaume dès que possible, sans quoi de sévères représailles seront envisagées.

Célias se leva lentement de son siège et s'avança vers les deux émissaires. Elle tourna autour d'eux. Les vierges de fer qui les surveillaient connaissaient bien leur reine et la signification du sourire qui lui donnait un air de supériorité. Joshua fut surpris de découvrir que la reine le dépassait de plusieurs centimètres, lui qui n'était quand même pas de petite taille. Des gouttes de sueur perlaient sur le front de l'émissaire ; néanmoins, il gardait les yeux braqués sur Célias.

— Quelle réponse devons-nous donner à notre reine ? demanda le jeune noble après un long moment de silence.

— Dites-moi, soldat, reprit-elle en s'adressant à Éric qui était demeuré silencieux depuis leur arrivée, de quoi a l'air votre nouvelle reine ?

Éric fut déstabilisé par cette question inattendue.

— Elle est jeune, belle et intelligente. Ce sera assurément une bonne souveraine. Elle est déjà appréciée du peuple de Ferrolia.

— Seriez-vous prêt à mourir pour elle ? demanda Célias en continuant de tourner autour des Ferroliens comme un fauve autour de sa proie.

— Oui, répondit Éric sans hésiter, en se tenant fièrement, le dos droit. Je suis prêt à donner ma vie pour elle et pour mon royaume comme…

Vive comme un chat, Célias dégaina un couteau et trancha la gorge d'Éric, qui termina sa phrase dans un gargouillis de sang. Joshua porta la main à son épée, puis il se ravisa. Six armes étaient pointées sur lui, sans compter qu'il avait le couteau de la reine sur sa gorge.

— Pourquoi avez-vous fait cela ? demanda-t-il avec colère. Vous avez violé la loi du drapeau blanc qui garantit l'immunité à ses porteurs.

La reine approcha son visage si près, qu'il sentit son haleine et son parfum épicé. Il vit en détail son visage délicat, ses boucles d'oreilles et l'anneau en or dans sa narine droite. Elle était belle, mais très dangereuse, comme il venait de le constater.

— Mon petit noble, dit Célias. Les lois, c'est moi qui les fais. Je ne suis l'esclave d'aucune autre loi que celles que je décrète. Voici ma réponse pour votre reine. Les Brandéens ne négocient pas. Allez lui dire qu'au moment où j'arriverai aux portes de la capitale, elle devra se soumettre ou son peuple sera réduit à l'esclavage. Courez vite le lui dire. Je vais même vous donner quelque chose pour lui prouver mon sérieux.

D'un mouvement rapide du poignet, elle lacéra le visage de Joshua. Son coup en diagonale courut du sourcil droit jusqu'à son menton. Paralysé par la douleur, le jeune homme avait senti la lame racler l'os de son arcade sourcilière, juste avant que le sang coulant de sa blessure l'aveugle. Il réprima un cri de douleur.

— Faites-lui un pansement et escortez-le hors du camp. S'il résiste le moindrement, tuez-le, dit Célias en se détournant et en reprenant sa place dans son fauteuil.

Joshua fut emmené, puis Célias songea aux nouvelles qu'elle venait d'apprendre tout en regardant, sans le voir, le corps inanimé d'Éric. Ferrolia était dirigé par une nouvelle reine, toute jeune et sûrement peu versée dans les arts de la guerre. Elle espérait que la vue de la cicatrice de son messager et la mort du second lui inspireraient la crainte de son ennemi. Elle prit sa coupe, dont elle avala le contenu d'un trait. Ces nouvelles étaient prometteuses. Le temps que le message parvienne à la capitale et que l'adversaire mette en branle son armée, elle aurait déjà pillé la moitié du royaume.

CHAPITRE XX

PRÉPARATIFS

J oshua vacillait sur sa selle, autant de fatigue qu'en raison de sa blessure, qui s'était infectée. Il avait quitté le camp des Brandéens trois jours auparavant. Vaillamment, il tentait de faire fi de la douleur, de la fatigue et de la faim afin d'avertir la reine, le plus tôt possible, des intentions de l'envahisseur. Il sentait le sang battre à ses tempes et des gouttes de sueur coulaient sur son visage malgré la fraîcheur du matin. La fièvre le gagnait et il se demanda s'il réussirait à revenir à Ferrolia.

— Je dois trouver quelqu'un qui portera le message à Servia, soliloqua-t-il. Mes forces m'abandonnent rapidement et je ne suis pas sûr que je vais y arriver.

Seule sa colère, engendrée par le traitement reçu, malgré le drapeau blanc, le poussait de l'avant. Sur la route, il avait prévenu tous les gens qu'il avait rencontrés du danger imminent. La veille, il avait déniché un cheval pour remplacer le sien, qui était épuisé. Mais déjà, celui-ci montrait des signes de fatigue ; une écume blanche recouvrait sa robe détrempée, là où les courroies de la selle passaient et où frottaient les rênes contre son cou. Ses narines dilatées laissaient entrer l'air à pleins poumons.

Joshua songea qu'il lui restait encore plusieurs jours à chevaucher à ce rythme avant d'atteindre la capitale. Il serra les dents et poussa sa monture. Il parvint au sommet d'une colline, et pour un instant, il crut que la fièvre le faisait halluciner. Dans la vallée qui s'étendait sous lui, il vit un campement immense. Deux étendards distinctifs flottaient dans la brise matinale ; celui de l'épervier blanc sur fond vert, et à ses côtés, le château surplombant les vagues, emblème du royaume de Ferrolia. Le cœur du jeune noble bondit de joie. Il se demanda comment cela était possible. Il mit ses questions de côté et dévala la pente. Il aperçut les sentinelles qui, repérant sa présence, accoururent vers lui.

— Que faites-vous déjà ici ? demanda Joshua quand on l'amena à la tente royale où se trouvaient Servia, Keiko et le général Zorta.

— Nous n'avons pas attendu votre retour, répondit le général, avant que Servia l'arrête d'une main levée.

— Les questions peuvent attendre un peu, dit Servia en regardant le pansement imbibé de sang et de pus qui recouvrait une partie du visage de Joshua. Nous devons d'abord te soigner. Ce sont les Brandéens qui t'ont fait ça ?

— La reine elle-même, répondit-il en hochant la tête.

— Conduisez-le à un prêtre qui pourra le soigner, fit Zorta.

— J'ai une meilleure idée, dit Servia en s'avançant et en passant le bras de Joshua sur ses épaules.

Keiko vint aider son amie afin de soutenir le noble qui tenait à peine sur ses jambes flageolantes. Ils sortirent de la tente et se dirigèrent derrière ; le général les suivit. Brega releva la tête et brama en apercevant sa maîtresse.

— Brega, dit Servia. Joshua est blessé. Peux-tu l'aider ?

Le noble regarda la reine de son seul œil, se demandant où elle voulait en venir. Le petit âne trotta jusqu'à eux.

— Assieds-toi par terre et ne bouge pas, dit Keiko en aidant Joshua. Fais-nous confiance, ajouta-t-il en souriant, tu auras la surprise de ta vie.

Brega s'approcha, et avec d'infinies précautions, il retira, avec ses babines, la compresse qui recouvrait la blessure. Servia vit avec effroi que la plaie du jeune noble aurait dû être refermée avec des points de suture ; on lui avait seulement appliqué un pansement. Elle vit des bourrelets de chair de chaque côté de la blessure, qui avait pris une teinte rougeâtre. Malgré une couche de sang craquelé, la plaie suintait de pus. Heureusement son œil n'avait pas été touché.

L'âne mit son museau tout près de l'entaille, sans y toucher, puis il releva la tête, et alla rejoindre Servia qui le caressa, avant de retourner paître.

— Par tous les dieux ! s'exclama Zorta.

Joshua sentit un picotement, mais il résista à l'envie de se gratter. Servia et Keiko souriaient.

— Quoi ? demanda Joshua, inquiet en voyant le général pantois.

— L'âne vous a guéri, balbutia Zorta, il ne reste qu'une petite cicatrice.

— C'est l'un des dons que la Dame Blanche nous a offerts lorsque nous avons accepté son offre et créé l'Ordre de l'épervier. Si vous regardez sur la fesse de Brega, vous verrez du poil blanc en forme d'épervier, comme s'il avait été marqué au fer à cet endroit.

Joshua porta une main à son visage et dut se rendre à l'évidence, le général lui avait dit la vérité. De plus, sa fièvre était tombée.

— C'est fantastique, dit-il en se levant aidé de Keiko et en allant caresser le front de l'âne.

— Bien ! s'exclama Servia. Allons discuter dans la tente.

Pour la réunion qui devait avoir lieu, Servia convoqua tous les officiers supérieurs, de même qu'Ulbar, grand prêtre de Ferrol, qui avait tenu à être de l'affrontement contre les Brandéens, accompagné d'une douzaine de prêtres expérimentés. Lucius était aussi parvenu à trouver deux magiciens qui s'étaient joints à eux.

Servia apprit à Joshua que c'était grâce à l'un d'eux et à ce qu'il avait vu dans sa boule de cristal si l'armée s'était mise en branle plus tôt que prévu. Le magicien avait aperçu, dans sa boule magique, Éric le soldat, mort, au pied de la reine. Immédiatement, il en avait informé les dirigeants, qui avaient aussitôt regroupé leurs troupes et affrété des navires afin de les transporter le plus vite possible vers le sud. La décision avait été facile à prendre pour Servia. Déjà, elle répugnait à demeurer au château, inactive, alors que des habitants du royaume se faisaient massacrer par les Brandéens. Prendre la mer était risqué avec le mauvais temps qui sévissait et les bateaux des Ferroliens durent faire face à une mer démontée. Ils avaient progressé rapidement vers le sud, avec le vent du nord en poupe, puis avaient accosté la veille au soir, n'osant pas aller plus loin en bateau, alors que le vent soufflait de plus belle. Servia avait décidé qu'il valait mieux poursuivre à pied, ce qui fit le bonheur de Brega. Lucius et Mélénil étaient demeurés dans la capitale.

Joshua transmit le message de la reine de Brandan à Servia, puis Zorta le bombarda de questions sur les forces en présence.

— Nous avons pu observer leur camp à distance, assez longtemps avant de nous présenter à eux, précisa Joshua. Ils sont très nombreux, je dirais près de sept mille têtes. De ce nombre, je ne pourrais dire combien sont des esclaves. Nous avons aussi vu plusieurs chevaux, ils ont donc une cavalerie. C'est malheureusement tout ce que je peux vous dire.

— Je sais qu'ils ne font pas confiance aux esclaves pour combattre à leurs côtés, ce qui est sage d'ailleurs, dit le général Zorta. Supposons donc qu'ils seront de cinq à six mille guerriers, incluant leurs cavaliers.

— Nous disposons de combien de soldats ? demanda Servia.

— Nous n'avons que trois mille fantassins, quatre cents cavaliers et autant d'archers. C'est tout ce que nous sommes parvenus à réunir en un si court laps de temps. Deux semaines de plus et nous aurions pu doubler nos effectifs.

— Pensez-vous que nous pourrons les vaincre, même si nous sommes inférieurs en nombre ? Je me refuse à attendre nos renforts alors que les nôtres sont massacrés.

— Avec l'effet de surprise et un bon plan d'attaque, assurément, déclara le général pour la rassurer. Nous pouvons choisir notre terrain et les attendre. Outre l'effet de surprise, nous avons l'avantage de compter plus d'archers qu'eux. Les Brandéens n'en ont jamais beaucoup au sein de leurs armées, si les ouvrages que j'ai consultés disent vrai. De plus, leurs arcs courts ont une moins grande portée que les nôtres. Si nous arrivons rapidement à nous emparer de leurs bannières, et si nous réussissons à éliminer leur reine, la partie sera gagnée.

Servia demeura songeuse.

— Si seulement nous pouvions infiltrer le camp des esclaves et les inciter à profiter de notre attaque pour se rebeller, ça nous donnerait un bon coup de main.

— L'idée est bonne, mais il ne faut pas compter là-dessus, dit le général en secouant la tête. Premièrement, nous n'avons pas le temps, et deuxièmement, c'est trop risqué : l'un d'eux pourrait parler et nos plans risqueraient de parvenir aux oreilles de la reine.

— Il ne faut pas non plus négliger l'apport des prêtres de Ferrol, ajouta Ulbar. Mes hommes peuvent guérir les blessés, mais ils peuvent aussi être utiles au combat.

Un sourire presque imperceptible se dessina sur les lèvres de Zorta, alors qu'un plan germait dans son esprit. Il pensait bien connaître les tactiques de l'ennemi et il comptait profiter de ses connaissances.

— Parfait, dit Servia, je me fie à vous, général Zorta. Trouvez-nous une stratégie pour repousser cet envahisseur.

Arrangez-vous pour que je puisse m'occuper personnellement de la reine Célias.

— On la dit forte, déclara l'un des officiers. On raconte qu'elle est une guerrière chevronnée.

— Parfait, on ne peut en dire autant de moi, elle s'attendra donc à trouver une proie facile lorsque nous serons face à face, répliqua Servia. Keiko sera avec moi.

— Moi aussi, intervint Joshua, du feu couvant dans son regard. J'ai un compte à régler avec Célias.

Servia observa le visage balafré du noble. Elle hocha la tête, alors qu'elle le regardait.

— Les Brandéens regretteront leur attaque et ils se repentiront d'avoir tué et blessé nos messagers, dit-elle sur un ton déterminé.

Les personnes présentes poussèrent des cris d'approbation.

— Nous avons beaucoup à faire, reprit Zorta, et seulement deux ou trois jours pour nous préparer. Premièrement, il faut trouver l'endroit idéal pour l'affrontement et nous mettre en place avant que leurs éclaireurs nous repèrent.

CHAPITRE XXI

REINE CONTRE REINE

À plat ventre au sol, afin de ne pas être aperçue, Célias observait les forces ennemies, massées au fond de la vallée, avec un sourire en coin. Elle conclut que si les troupes de la reine de Ferrolia se trouvaient déjà ici, les messagers que Servia lui avait envoyés n'étaient qu'un leurre, afin de gagner du temps, et de lui laisser croire que l'armée royale se trouvait encore loin.

Ainsi, ils espéraient me surprendre, songea-t-elle.

Elle constata que ses éclaireurs l'avaient bien renseignée. Le contingent de Ferrolia était inférieur en nombre par rapport à son armée, qui l'attendait derrière la crête. Beretta vint la rejoindre en rampant.

— Je crois qu'ils attendent d'autres troupes pour gonfler leurs rangs, dit Célias.

— Dans ce cas, il faut les attaquer immédiatement avant que l'aide leur parvienne, suggéra Beretta.

— Je suis d'accord, mais il nous faut prendre des précautions, au cas où des troupes supplémentaires nous tomberaient dessus, alors que nous sommes aux prises avec celles qui se trouvent déjà dans la vallée. Envoie des éclaireurs rapides à l'est et à l'ouest. Qu'ils reviennent à toute vitesse nous avertir s'ils aperçoivent d'autres troupes. Nous aurons ainsi le temps de modifier notre stratégie ; sinon, nous battrons en retraite.

— D'accord, j'y vais.

— Attends un peu, Beretta. Dis-moi ce que tu remarques en observant cette armée ?

Beretta scruta l'armée ferrolienne pendant quelques instants. Elle voyait un corps d'infanterie formant une ligne et une petite unité de cavalerie de chaque côté. À l'arrière s'étirait une imposante ligne d'archers. Les troupes étaient situées au centre de la vallée, et de chaque côté, s'élevaient des terrains boisés assez clairsemés.

— Ils ont plus d'archers que nous, mais pas suffisamment pour faire pencher la balance en leur faveur. Ils semblent prêts au combat, peut-être nous ont-ils vus arriver. Par contre, ils ont dû l'apprendre il y a peu de temps et ils n'auront pas eu la possibilité de se déplacer. Aucun officier ne choisirait pareil endroit pour se défendre. Si nous parvenons à les repousser, ils seront acculés à la pente opposée et ce sera un massacre.

— C'est bien ce que je crois aussi, dit la reine en retraitant vers ses troupes. Fais passer l'ordre, nous les attaquerons dans une heure.

Servia vit les forces de Brandan descendre la colline dans un ordre parfait, témoignant d'une grande discipline chez ces soldats. Malgré les plans échafaudés, elle craignait pour ses hommes, qui devraient se mesurer à des effectifs plus élevés en nombre. Elle se tenait sur son cheval, complètement à l'arrière des rangs d'infanterie, composés de soldats en cottes de mailles et d'armures de plates.

Ils étaient armés de lances et tous portaient à la ceinture une épée longue. Devant eux, ils tenaient des boucliers de métal. Cette partie de l'armée subirait l'impact de la charge ennemie.

À ses côtés se tenait Keiko, sous sa forme d'ours. On était parvenu à lui fabriquer d'urgence une armure de mailles qui lui couvrait complètement le dos, le cou et le dessus de la tête. Le tout était retenu par des sangles de cuir, attachées sous son ventre. Pour prévenir les blessures lorsqu'il se dressait sur ses pattes arrière, on avait ajouté une plaque de métal mince, qui lui couvrait la poitrine. Sur son front dépassait une pointe de métal, affûtée comme un couteau. De l'autre côté de Servia se tenait Joshua, monté sur un magnifique destrier noir qui piaffait d'impatience, et juste derrière, attendaient les porte-étendards. Le drapeau de l'épervier et celui de Ferrolia claquaient au vent violent de cette matinée pluvieuse.

Les trois amis virent l'armée brandéenne se mettre en rang. Leur infanterie, beaucoup plus nombreuse, s'aligna devant l'infanterie ferrolienne. Sur chaque aile se groupa la cavalerie. Une trentaine de cavaliers et une cinquantaine de fantassins demeurèrent en réserve à l'arrière ; ils étaient accompagnés de la reine et des vierges de fer. La reine Célias, confiante en la suprématie de son armée, voulait y aller force contre force. Elle avait placé son infanterie face à celle de Ferrolia et il en était de même pour les cavaliers qui se trouvaient de chaque côté.

— *Tenez-vous prêt, ça va commencer* dit mentalement le général Zorta à tous ses officiers, ainsi qu'à Ulbar et à Servia.

Il avait réservé les talents d'un des magiciens, afin de transmettre mentalement ses ordres au cours de la bataille. Les sorts offensifs du magicien auraient sûrement beaucoup aidé les troupes, mais le plan de Zorta demandait une exécution précise. Il avait jugé préférable que le magicien demeure à l'abri, loin derrière les troupes, afin de transmettre ses ordres.

Dans l'armée de Brandan, un cor sonna et les soldats se mirent en marche, avançant inexorablement vers l'ennemi. Les Ferroliens les attendirent sans bouger. Keiko remarqua que dans les rangs, devant lui, plus d'un essuyait ses paumes humides sur son armure ou resserrait ses doigts sur le manche de sa lance. La nervosité les gagnait. Afin de répondre au cor sinistre des Brandéens qui se faisait encore entendre, il se dressa sur ses pattes arrière et poussa un cri retentissant que l'ennemi entendit. Loin derrière les troupes de Ferrolia, Brega voulut lui aussi répondre aux provocations du cor de Brandan. Il brama à répétition, mais ses manifestations d'appui ne furent entendues que du magicien qui transmettait les ordres de Zorta ; il se trouvait tout près et il lui jeta un regard courroucé.

— Ne me fais pas perdre ma concentration, dit-il à l'âne.

Brega, penaud, baissa la tête, mais il la releva immédiatement et ses oreilles se dressèrent lorsqu'il entendit les premiers bruits annonçant le choc des deux armées.

— *Archers derrière l'infanterie, tirez*, lança Zorta.

Son ordre fut transmis et les archers ferroliens décochèrent leurs flèches. Le général voulait profiter de la portée accrue de leurs arcs longs. La pluie meurtrière s'abattit sur le camp adverse. Afin d'être soumise le moins longtemps possible à ce tir incessant qui clairsemait ses soldats, la reine Célias ordonna à ses troupes de charger.

Les premiers rangs de son armée se brisèrent sur les lances ferroliennes. Une volée de javelots et de flèches obscurcit le ciel et vint faucher plusieurs soldats de Ferrolia. De chaque côté, les épées furent dégainées et le corps à corps débuta. Sur les flancs, les cavaleries de taille comparable croisèrent le fer.

Après quelques minutes, l'avantage numérique des Brandéens obligea l'infanterie de Ferrolia à se replier. Les shamans envoyèrent des boules de feu au centre de la formation adverse, causant de lourdes pertes chez les Ferroliens.

Servia entendit Zorta exhorter ses troupes à garder leur calme et à maintenir l'ordre dans les rangs. La reine sortit son arc et commença à lancer ses projectiles sur les troupes de Brandan. Devant elle, le centre de son infanterie perdait du terrain. Les Brandéens se rapprochaient rapidement de sa position. Les rangs des soldats ferroliens ne formaient plus une ligne, mais un *V.* Célias vit qu'elle avait la possibilité de s'en prendre à la reine rivale et de porter le coup de grâce à l'ennemi ; elle s'élança vers l'ouverture avec ses forces de réserve.

— *Maintenant !* cria Zorta, même si le fait de crier s'avérait superflu, étant donné que ses ordres étaient transmis de façon télépathique.

Des terrains boisés situés de chaque côté sortirent une cinquantaine d'archers. Ceux à gauche tirèrent sur les soldats qui accompagnaient la reine, alors que sur le flanc droit, on visait les shamans. Le second magicien se trouvait parmi ces hommes et ses éclairs balayèrent les forces adverses. La reine Célias vit plusieurs de ses proches crouler sous les flèches ou atteints par les sorts du magicien. Elle envoya ses vierges de fer vers les archers, pendant qu'elle continuait sa course, poussant ses forces au centre de la formation adverse qui faiblissait. Elle pouvait apercevoir la reine, au loin, et elle encouragea ses soldats à courir dans cette direction.

— *À nous de jouer*, dit Zorta avec calme.

Il sortit de la colline boisée, à gauche de leur formation, accompagné d'une cinquantaine de cavaliers et de cent cinquante fantassins rapides, en armure de cuir légère. Ils prirent de vitesse les forces ennemies qu'ils contournèrent, coinçant les Brandéens entre le marteau et l'enclume. La manœuvre n'arriva pas trop tôt, car les rangs de soldats ferroliens s'atténuaient rapidement. Keiko se lança dans la mêlée, jouant des crocs et des griffes, renversant les soldats, comme s'ils n'étaient que des poupées de chiffon. Les Brandéens, apeurés, fuyaient en voyant cette bête gigantesque en furie. Joshua s'élança à sa suite et sa colère était telle qu'il fit payer aux Brandéens les mauvais traitements subis.

Quelques rangées de soldats seulement séparaient les deux reines. Servia vit Célias qui l'observait en s'avançant, le bras tendu vers l'arrière, prête à lancer son javelot dès qu'elle serait à portée. Son cheval de guerre bousculait les fantassins, autant amis qu'ennemis, qui se trouvaient sur son passage. Servia poussa sa jument brune vers l'avant, à la rencontre de la reine guerrière. Elle leva son arc pour tirer en pleine course, comme le lui avait enseigné Zorta, mais Célias fut la plus rapide. Sa lance pénétra dans le poitrail du cheval de Servia, qui s'écroula. La jeune femme, projetée vers l'avant, chuta lourdement. Sa tête heurta le sol et elle vit des lumières danser devant ses yeux. Elle devait se relever rapidement. Elle imaginait Célias s'approchant pour lui porter le coup de grâce. Elle se redressa péniblement, mais elle était étourdie et elle retomba au sol.

Keiko vit son amie chuter de loin et il accourut vers elle en poussant un grognement. Célias s'approchait rapidement sur son cheval et il savait qu'il n'arriverait pas à temps pour intervenir. *J'aurais dû demeurer près d'elle,* pensa-t-il.

Ce fut Joshua qui sauva temporairement Servia. Il venait tout juste d'être désarçonné et il s'était retrouvé debout, parmi les combattants. Lorsque Célias passa tout près de lui, il trancha de son épée le jarret droit de sa monture. La reine de Brandan fut à son tour projetée au sol, mais avec une dextérité remarquable, elle absorba l'élan de sa chute en roulant sur elle-même. Elle fut sur pied en un clin d'œil. Joshua vit à la dernière seconde qu'une lame descendait vers lui et il la bloqua de justesse. Beretta voulait lui faire payer cet assaut envers sa reine. Il la reconnut. C'était la femme qui l'avait conduit auprès de la reine et qui l'avait ensuite brutalement expulsé du camp.

Le jeune noble poussa un cri de colère et martela de son épée le bouclier de la vierge de fer. Elle retrouva bientôt son équilibre et se défendit, forçant même Joshua à reculer.

À l'arrière, la cavalerie de Zorta venait d'éliminer l'aile droite de la cavalerie adverse, et ses hommes fendaient déjà le flanc droit des Brandéens. C'est également à ce moment que les prêtres de Ferrol, Ulbar à leur tête, firent sentir leur présence, alors que chez l'ennemi, les shamans avaient tous été éliminés par les archers et par le magicien. Grâce aux sorts des ouailles de Ferrol, des dizaines d'ennemis se retrouvèrent paralysés, à la merci de leurs adversaires ; d'autres virent des torrents de feu naître sous leurs pieds et les consumer en quelques secondes. Ulbar trouva ironique d'éliminer par le feu les soldats d'un peuple qui vénérait Ignès.

— Pour Ferrol ! cria-t-il, avant qu'un javelot l'atteigne et qu'il s'effondre.

Servia recouvra ses esprits, juste à temps pour voir Célias debout, une épée nue à la main, s'avançant vers elle avec détermination, une lueur meurtrière au fond des yeux. Elle chercha désespérément son arc et l'aperçut, sur le sol, à plusieurs mètres d'elle. N'ayant pas d'autre choix, elle s'apprêtait à attraper la garde de son épée pour la tirer du fourreau. *J'aurais tant souhaité avoir mon arc,* songea-t-elle. À sa grande surprise, sa main ne se referma pas sur la poignée de son épée. Elle sentit le bois lisse et familier de son arc. Elle ne comprenait pas comment elle était parvenue à saisir son arme de prédilection, mais ce n'était pas le temps de se poser de telles questions. Saisissant une flèche magique, elle la décocha en direction de Célias qui s'était arrêtée et la regardait, bouche bée. Le projectile fendit l'air humide et ne fut nullement dévié par le fort vent soufflant du nord. Il termina sa course à travers le biceps de Célias, qui poussa un cri de douleur et posa un genou par terre.

En entendant ce cri, Beretta abandonna aussitôt son combat contre le jeune homme qu'elle était parvenue à blesser légèrement et se précipita au secours de sa reine. Elle vint soutenir Célias qui s'appuya lourdement contre elle.

— Elle a la magie de son dieu avec elle, dit la reine d'une voix faible.

Beretta ne comprit pas ce que la reine voulait dire. Elle jeta un coup d'œil aux alentours et vit que leur armée menaçait de s'effondrer, alors que leurs troupes étaient prises entre les cavaliers et l'infanterie ferrolienne. Elle donna le signal, et le cor, qui avait, deux heures auparavant, annoncé l'attaque, sonna la retraite.

L'armée brandéenne était trop expérimentée pour retraiter à la débandade. Ils reculèrent en resserrant leurs rangs autant que possible.

— *Laissez-les se retirer pour l'instant*, ordonna Zorta.

Il savait que ses soldats étaient exténués et que nombre d'entre eux étaient blessés, sinon morts. Ils n'étaient donc pas en mesure de poursuivre l'armée de Brandéens. Il fallait se regrouper et estimer l'étendue des pertes. Il s'assura tout de même de porter un dernier coup à l'ennemi.

— *Archers, tirez à volonté*, ajouta-t-il.

Les flèches plurent, tuant plusieurs douzaines de Brandéens avant qu'ils soient hors de portée.

Servia appela le magicien qui transmettait les ordres de Zorta afin qu'il lui jette un sort. Sa magie lui permit d'amplifier la voix de sa reine, de manière à ce qu'elle soit entendue à plus d'une lieue à la ronde.

— Brandéens, cria-t-elle. Je suis Servia, reine de Ferrolia. Si je vous retrouve à l'intérieur de mes frontières, je vous éliminerai, puis je me rendrai à Tarsa, et cette fois, ce ne seront pas les feux de Brand qui ravageront votre capitale, mais ceux allumés de nos propres mains. Je m'adresse maintenant à tous les esclaves. Vous pouvez demeurer dans mon royaume. Nous vous donnerons des terres et nous vous traiterons correctement, tant que vous respecterez nos lois. Ici, l'esclavage est interdit.

L'énoncé de Servia fut accueilli par des cris de victoire et de joie, qui se mêlèrent aux larmes de ceux qui venaient de perdre un être cher au cours de cette bataille.

CHAPITRE XXII

LE PRIX À PAYER

L a journée tirait à sa fin et Zorta arpentait le champ de bataille à l'aide de ses hommes. Les soldats blessés étaient soignés selon la gravité de leur condition, qu'ils soient ferroliens ou brandéens. Les hommes de l'envahisseur étaient faits prisonniers. Le général savait bien que s'ils avaient perdu, les blessés et ceux qui s'étaient rendus auraient tout simplement été assassinés ou réduits à l'esclavage. Il refusait d'agir de la sorte et il savait bien que la reine partageait son opinion à ce sujet.

Le lendemain matin, le général ordonna à ses hommes de séparer les corps des Ferroliens de ceux des Brandéens. Ils creusèrent une fosse commune pour les guerriers du royaume et les enterrèrent avec la bénédiction des prêtres de Ferrol. Ils élevèrent un tertre et ils y déposèrent une lourde pierre sur laquelle il était inscrit : «Ici reposent les enfants de Ferrolia qui ont donné leur vie pour la liberté de leur pays. Que notre saint patron, le divin Ferrol, accueille ces âmes et veille sur eux pour l'éternité.» Les corps des Brandéens furent empilés sur plusieurs énormes bûchers. Les prêtres les bénirent également, même s'ils étaient fidèles à un autre dieu, puis allumèrent les brasiers, qui les consumèrent.

Zorta se dirigea ensuite vers la tente royale où l'attendait Servia avec impatience, accompagnée de Keiko et de

Joshua. La reine avait demandé à accompagner le général, mais celui-ci lui avait assuré qu'il pouvait très bien assumer cette tâche. Pour une rare fois, Servia n'avait pas argumenté. Les trois amis terminaient leur repas, composé de pain de voyage et d'un peu de viande salée.

— Général, dit Servia en levant la tête. J'avais hâte d'avoir des nouvelles. Quelle est votre estimation des pertes ?

Zorta discerna bien la lueur d'anxiété dans les yeux de sa souveraine.

— C'est presque miraculeux, dit-il en s'assoyant à la table, alors que Joshua lui versait une coupe de vin. Je crois que l'armée adverse a perdu près de la moitié de ses effectifs, soit environ deux mille huit cents soldats. De notre côté, la proportion est nettement meilleure. Nous avons perdu un peu plus de mille hommes, soit moins du tiers de nos forces. C'est une grande victoire.

Ni le général, ni aucune autre personne dans la tente, n'avait envie de se réjouir. La nouvelle était certes bonne, mais il pensait à tous ces pères, ces frères et ces enfants que leurs familles ne reverraient plus.

— À nos hommes, qui y ont laissé leur vie ! dit Servia en levant sa coupe, imitée par ses convives. Toutes mes félicitations, général, vous avez fait du bon travail.

— Le mérite revient au courage de nos soldats, répondit-il avec modestie.

— Il me faudra trouver un moyen de les récompenser ; je vais faire en sorte que les familles des soldats tombés au combat ne manquent de rien, ajouta Servia, songeuse.

— Je ne crois pas que les Brandéens reviennent, ajouta Zorta. Vous avez sérieusement blessé leur reine et je crois qu'elle voudra soigner ses blessures au plus vite. De toute façon, le contingent de deux cents cavaliers que j'ai envoyé pour les suivre devrait les inciter à franchir la frontière rapidement. Ces cavaliers sont tous d'habiles archers qui les harcèleront s'ils ne se hâtent pas à notre goût.

Le général prit une gorgée et poussa un soupir avant de continuer.

« Quand désirez-vous lever le camp ? »

— Dès que nos blessés auront suffisamment récupéré pour supporter le voyage de retour. Je suis allée les visiter à l'aube et on m'a dit que d'ici deux jours, la magie des prêtres de Ferrol et celle de Brega auront fait leur œuvre.

Zorta ne put s'empêcher de sourire en songeant à l'âne. Il l'avait vu, tard dans la nuit, les oreilles pendantes de fatigue, passer d'un blessé à l'autre afin de les guérir. Vers minuit, il s'était littéralement effondré à côté de l'une des tentes. Les soldats, tout d'abord médusés par son talent de guérisseur, avaient bien ri en l'entendant ronfler, deux secondes après qu'il se soit couché. Ils n'auraient jamais imaginé qu'une si petite créature puisse faire tant de bruit.

— Comment va Ulbar ? demanda le général.

— Ses prêtres m'assurent qu'il s'en tirera. Il a été chanceux que le javelot n'atteigne aucun de ses organes vitaux. On m'a dit que s'il avait été frappé deux centimètres à côté, l'un des poumons aurait été atteint.

— Nous avons quand même perdu de bons soldats, dont quatre de mes officiers, ajouta-t-il en baissant la tête.

— Le magicien, qui a attaqué les shamans, et dont je ne connais pas le nom, est aussi tombé au combat, déclara Keiko.

Il y eut un moment de silence.

— Qu'en est-il des esclaves ? demanda Zorta en s'adressant à Joshua.

— Je me suis occupé d'eux. Ils sont environ cent cinquante à avoir rejoint nos rangs. Je me suis assuré qu'on leur fournisse à manger et que ceux qui en avaient besoin soient soignés. Je crois que plusieurs autres nous rejoindront plus tard.

— Ceux qui désiraient retrouver leur famille nous ont déjà quittés avec des vivres, fit Servia. Les autres nous accompagneront jusqu'à Ferrolia pour l'instant. Je leur ai parlé et cela leur convient. Ils décideront s'ils veulent des terres, ou joindre notre armée ou encore s'établir dans la capitale.

— Des troupes, composées de nos soldats et de ces hommes, correctement entraînés, pourraient garder nos frontières au sud, dit Zorta en souriant. La haine qu'ils entretiennent à l'égard des Brandéens est palpable. Je suis sûr que ces derniers y penseraient à deux fois avant de nous envahir et de se frotter à leurs anciens esclaves. Bon, je vais envoyer des messagers avertir les capitaines de nos bateaux que nous les rejoindrons dans deux ou trois jours, ajouta-t-il en se levant.

— Assoyez-vous, général, lui ordonna Servia. Je m'en suis déjà occupée et vous avez bien mérité un peu de repos.

Keiko remplit les trois premières coupes, mais il restait tout juste assez de vin dans son outre pour remplir à demi la sienne.

— J'ai bien peur que nous ayons complètement vidé nos réserves de vin, dit-il en tordant l'outre.

— Les hommes ont apprécié la coupe de vin que vous leur avez offerte après la bataille, fit remarquer le général. Sauf votre respect, ce n'est pas votre père qui se serait privé de vin et de bonne nourriture pour récompenser ses hommes.

Servia ne sembla pas touchée par le compliment. Elle ajouta :

— Nous devrons nous contenter de boire de l'eau jusqu'à notre retour dans la capitale. Dites-moi, général, je me suis entraînée quelquefois avec vous, bien qu'alors, j'ignorais qui vous étiez, et je réalise que je ne sais presque rien de vous. Je suis sans doute indiscrète, mais avez-vous une famille, des enfants ?

— Tu n'avais qu'à me le demander, intervint Keiko avant de plonger le nez dans sa coupe.

— Te le demander ? répéta Servia en le regardant et en arquant les sourcils.

— Vous savez, je me suis entraîné pas mal avec des vétérans de la garnison, ajouta le jeune homme. À l'occasion, je suis même allé prendre une bière avec eux. Vous n'avez pas idée comment les soldats sont bavards. Je sais tout de chacun des hommes, et surtout du général.

— Vraiment ? fit ce dernier avec étonnement.

— Je connais toutes vos qualités, et surtout, tous vos défauts, lança Keiko.

— Mes défauts ? Quels défauts ?

— Je ne peux pas vous le dire, je trahirais mes compagnons d'armes. On m'a fait comprendre que les secrets entre soldats, c'est sacré.

Zorta regarda Keiko, les yeux pleins d'interrogations. Le jeune homme porta de nouveau sa coupe à ses lèvres, sans cesser de regarder le général. Finalement, ses petits yeux rieurs lui adressèrent un clin d'œil. Zorta, réalisant que l'on venait de se payer sa tête, éclata de rire, ce qui leur permit de relaxer un peu.

Le retour dans la capitale fut triomphal. On scandait le nom des héros sur leur passage. Quelques jours après leur arrivée, les événements rapportés avaient pris des proportions incroyables. On parlait de Joshua, le courageux messager qui avait sauvé la reine et tué plus de trente adversaires, du général Zorta et de sa brillante stratégie, et de l'exploit de sa cavalerie fendant les rangs ennemis comme un couteau fend le beurre. Par-dessus tout, on parlait de l'épique duel entre les deux reines, du courage de Servia et de son adresse avec son arc magique qui revenait de lui-même dans sa main. Sur ce point, les propos étaient fidèles à la réalité. Keiko avait raconté à Servia ce qu'il avait vu. Sur le champ de bataille, alors qu'il courait vers elle pour l'aider et qu'il était certain d'arriver trop tard, il avait vu l'arc disparaître et réapparaître aussitôt dans sa main, ce qui avait sidéré la reine de Brandan. Servia avait tenté par la suite de répéter l'exploit.

À sa surprise, elle n'avait qu'à imaginer son arme pour que celle-ci se retrouvât dans ses mains, peu importe où elle était. Les deux amis en avaient déduit qu'il s'agissait d'un des pouvoirs à découvrir que Viernet leur avait caché.

L'histoire qui suscita le plus d'intérêt était celle de Keiko. Toute la ville savait maintenant qu'il était un change-forme et qu'il avait combattu sous sa forme animale et causé de lourds dégâts dans le camp des Brandéens. Aux alentours du château, on avait souvent entendu des histoires sur de tels phénomènes, mais la plupart des gens pensaient qu'il s'agissait de contes pour apeurer les enfants. Keiko n'en finissait plus de raconter sa jeunesse. Les propos déformés des gens en firent une bête de plus de cinq mètres de haut aux yeux rouges et aux crocs acérés.

On célébra la victoire pendant quelques jours, mais Servia insista pour que la nourriture soit distribuée avec parcimonie. Ce n'était pas parce qu'ils avaient remporté une grande victoire que le problème de la famine était réglé.

Lucius fut soulagé de voir que Servia était revenue saine et sauve. Il parvint à convaincre l'un des esclaves, qui était revenu avec l'armée, de lui servir d'espion. Il retourna à Tarsa pour infiltrer l'entourage de la reine Célias afin d'apprendre ce qu'elle ferait à la suite de son échec. Il mit rapidement en place un réseau de messagers pouvant lui acheminer des nouvelles. La plupart de ceux-ci étaient des pigeons voyageurs qui parcouraient rapidement les lieues séparant les deux capitales.

Zorta donna des ordres afin d'assurer une surveillance accrue de toutes les frontières du royaume.

Avec l'accord de Servia, il fit construire de nombreuses tours de guet qu'il garnit de soldats. Il s'en voulait d'avoir négligé ce point, ce qui avait failli coûter cher à sa patrie.

Au fil des jours et des semaines, la vie reprit son cours normal au château. Les gens se préparèrent du mieux qu'ils le purent à passer un rude hiver. La nourriture fut rationnée, les pêcheurs et les chasseurs œuvrèrent presque jour et nuit pendant que leurs femmes salaient le poisson et la viande qu'on apportait au château pour la redistribuer équitablement.

Darius, dont le *Geignard* avait fait partie de la flotte transportant l'armée, se promenait inlassablement de port en port, achetant, avec l'argent du trésor royal, toute la nourriture qu'il pouvait. Lucius s'inquiétait de la baisse des réserves d'or, mais il savait qu'ils n'avaient pas le choix. C'est la survie de la population qui importait et Servia avait pris les bonnes décisions.

Il entrevoyait enfin un avenir meilleur pour son royaume, comme il l'avait tant de fois demandé à Ferrol en prière.

CHAPITRE XXIII

ASCENSION ET CHUTE

L a Dame Blanche avait convoqué les dieux à l'entrée du domaine de la mort.

Elle se tenait devant l'immense porte de fer forgé qui en bloquait l'accès. Des statues géantes se dressaient de part et d'autre du portail. À gauche s'élevait la statue représentant un immense squelette, les bras croisés sur la garde d'une épée gigantesque, dont la pointe reposait au sol. Des rubis enchâssés dans l'orbite de ses yeux lui donnaient un air lugubre et étrangement vivant. De l'autre côté, une grande silhouette encapuchonnée, dont on ne distinguait que le bas du visage émacié, tenait dans ses mains osseuses une grande faux, symbole universel de la Faucheuse, la Mort.

La Dame Blanche observait ses enfants le sourire aux lèvres. À ses côtés se tenait fièrement Culcuth. Il avait déjà atteint sa maturité. Il était très beau avec sa peau lisse et blanche, ses traits fins et ses cheveux noirs ondulés qui lui descendaient jusqu'aux épaules. Dans son regard brillaient l'intelligence et la vivacité.

— Mes enfants, déclara la Dame Blanche pour commencer. Culcuth a déjà atteint sa majorité. Je remercie Agizel, qui s'est très bien occupée de lui. Vous avez tous participé à sa formation afin qu'aujourd'hui, il soit en mesure de prendre possession du domaine qui lui a été promis depuis sa naissance. À partir de maintenant, Culcuth devient le dieu de la mort avec tous les avantages et les obligations qui s'y rattachent. Il pourra désormais assister à l'assemblée des dieux et y avoir droit de parole, au même titre que chacun de vous.

Quelques dieux félicitèrent leur jeune frère.

La grande déesse se tourna ensuite vers Culcuth.

«Mon fils, dit-elle en lui posant une main sur l'épaule. N'oublie jamais ce que tu as appris et continue de demander conseil à tes semblables. Demeure humble, fort et soucieux des créatures d'Arménis, qu'ils te vénèrent ou non.

Culcuth inclina la tête.

«Nous allons bientôt festoyer en l'honneur de notre jeune dieu de la mort, mais auparavant, je tenais à vous féliciter. Vous m'avez redonné espoir en vos capacités et en l'avenir d'Arménis. Ça m'a fait chaud au cœur de vous observer. Même le récent affrontement entre les royaumes vénérant Ignès et Ferrol n'a provoqué aucune animosité entre ces frères. Je vous félicite, vous avez tous fait preuve de sagesse et de bonté, si bien que je vous annonce que je vous quitterai dès aujourd'hui.

Les dieux furent surpris par cette déclaration, même si leur mère les avait depuis longtemps avertis que son passage parmi eux n'était que temporaire.

«D'autres tâches m'attendent, ajouta la Dame Blanche. Ces derniers temps passés avec vous m'ont fait le plus grand bien et je vous promets de revenir bientôt. D'ici là, je garderai tout de même un œil sur vous. Maintenant, assez parlé de moi. Ce jour appartient à Culcuth.

Suivez-moi, un banquet nous attend au cœur du domaine du nouveau dieu de la mort. »

Le retour à Tarsa se fit dans la morosité, pour l'armée vaincue des Brandéens, et dans la douleur pour Célias, la reine guerrière. Ses shamans ayant tous été tués au combat, elle avait dû soigner sa blessure au bras du mieux qu'elle le pouvait. La flèche qui l'avait atteinte lui avait fracturé l'humérus et déchiré le biceps.

La reine rentrait dans la capitale avec la moitié des effectifs qui avaient quitté Brandan. Sa garde personnelle, les vierges de fer, avait aussi été décimée de moitié. Lors de la chevauchée du retour, ses heures se partageaient entre la douleur et la colère. Elle s'en voulait d'avoir sous-estimé la finesse des stratégies adverses, comptant sur sa supériorité numérique pour l'emporter. Les Ferroliens s'étaient avérés plus coriaces que prévu, et leur reine, habile et sans peur. De plus, leur cavalerie n'avait cessé de les harceler, leur infligeant d'autres pertes avant de retraiter au galop. Les Brandéens ne possédaient plus de cavalerie comme telle, et ne pouvaient leur donner la chasse. Leur retrait vers leur frontière fut ralenti par ces attaques incessantes.

Célias gagna rapidement ses appartements où elle fit mander au plus vite un shaman guérisseur. Un des fidèles de Brand se présenta dans ses appartements quelques minutes plus tard. Il ausculta sa souveraine et fit appel à la magie guérisseuse de son dieu. Célias ressentit un immense soulagement quand la douleur qu'elle supportait depuis plus de deux semaines se dissipa.

— J'ai fait ce que j'ai pu, Majesté, déclara le shaman. Votre blessure est guérie, mais…

— Mais quoi ? demanda la reine, dont le regard s'assombrit, parle !

— Votre os brisé s'était déjà partiellement ressoudé dans une mauvaise position. Je ne peux rien faire de plus.

Célias déplia son bras. Elle s'aperçut qu'au-dessus du coude, une bosse saillait sous sa peau. Elle la toucha et sentit l'os dessous.

— Vous êtes guérie, Majesté et la magie de Brandan a redonné de la vitalité à vos muscles, mais j'ai bien peur que vous ne puissiez plus jamais tenir une épée ou lancer un javelot, à moins que ce ne soit avec votre bras gauche.

La reine regarda le shaman avec ses grands yeux consternés. La colère s'empara d'elle. Elle dégaina son poignard et tenta de le soulever et d'atteindre la gorge de son soigneur, mais ses doigts s'engourdirent et l'arme tomba sur les dalles de pierres en claquant. Le shaman recula de quelques pas, livide.

— Va-t'en ! lui cria Célias.

L'homme ne se fit pas prier pour déguerpir. Pour une des seules fois de sa vie, des larmes montèrent dans les yeux noirs de la souveraine de Brandan.

La nouvelle de l'amère défaite et de la condition de la reine se répandit à une vitesse folle dans le royaume de Brandan. La grogne gagna rapidement l'armée et les paysans et de nombreux combats eurent lieu entre les fidèles de Célias et leurs opposants. La reine demeurait invisible, cloîtrée dans ses appartements. La rumeur disait qu'en raison de son handicap et de la douleur qu'elle avait supportée lors du retour, elle était devenue folle. À certains endroits, on disait même qu'elle était morte, qu'elle n'avait pas survécu à ses blessures et qu'on le cachait à la population. Une rumeur encore plus folle voulait que ce soit la reine-sorcière de Ferrolia qui soit rentrée à Tarsa, adoptant magiquement les traits de Célias.

La souffrance des gens qui avaient déjà faim à l'approche de l'hiver n'améliora pas la situation. Dans les semaines qui suivirent, la grogne s'intensifia. Beretta demeurait cependant fidèle à Célias. À plusieurs reprises, elle avait tenté de lui parler, mais chaque fois, la reine lui avait demandé de la laisser seule.

Le jour où l'on aurait dû célébrer le douzième anniversaire de l'ascension de Célias sur le trône de Brandan, une foule de paysans mécontents tenta de prendre le château de force. Beretta, la plus élevée en grade militaire après la reine, prit le commandement des défenses qui repoussèrent facilement l'assaut du haut des remparts en envoyant une pluie de flèches sur les assaillants et de l'eau bouillante. La doyenne des vierges de fer fut abasourdie de voir les paysans se regrouper hors de la portée de leurs arcs afin de préparer une nouvelle attaque.

Elle comprit pourquoi lorsqu'elle vit plusieurs robes rouges de shamans dans leurs rangs.

Lors d'une seconde charge, malgré la magie de Brand que prodiguaient les shamans qui appuyaient les paysans, les soldats du château allaient repousser de nouveau les assaillants, lorsque des cris retentirent à l'intérieur de l'enceinte.

— Aux traîtres ! Aux traîtres ! La porte du château s'ouvre.

Beretta, du haut de la muraille, se tourna vers la cour intérieure. Elle vit des soldats se battre les uns contre les autres. Certains rebelles ouvrirent les portes de la muraille ceinturant le château et la masse des paysans se rua à l'intérieur ; ils étaient armés de haches, de faux et de tout objet susceptible de blesser quelqu'un. Les archers n'étant plus d'aucune utilité, Beretta leur ordonna de tirer leur épée au clair et d'aller aider les soldats fidèles à la reine.

— Comment saurons-nous qui est dans notre camp ? demanda une jeune femme.

— Si la personne devant toi lève son arme, tue-la, c'est un ennemi, répliqua Beretta en lui jetant un regard noir.

La vierge de fer dévala les marches de pierre et se fraya un chemin à coups d'épée jusqu'à la porte intérieure du château. Elle arriva en coup de vent et ordonna aux gardes de barricader la porte. Elle gravit à la course les marches menant aux étages supérieurs où se trouvaient les appartements royaux. Devant la porte de la chambre de Célias se tenaient deux vierges de fer qui sortirent leurs épées en entendant des pas dans l'escalier. Elles aperçurent Beretta et rengainèrent leurs armes.

Hors d'haleine, Beretta tourna la poignée de la porte, mais celle-ci était verrouillée de l'intérieur. Elle cogna.

— Majesté, cria-t-elle, la situation s'envenime. Vous devez fuir.

Aucune réponse. Beretta connaissait l'existence d'une porte dérobée dans la chambre de la reine, qui menait à des corridors secrets et à une sortie, loin de l'enceinte du château. Elle passa une main sur son visage baigné de sueur, réfléchissant à la situation. Peut-être la reine avait elle déjà fui par le corridor, songea la guerrière, mais connaissant le caractère de Célias, elle en doutait.

«Vous deux, dit-elle aux gardes. Aidez-moi à enfoncer cette porte.»

Les trois femmes saisirent un lourd banc de bois dont elles se servirent comme bélier. Ce fut la porte du rez-de-chaussée qui céda toutefois en premier. Peu de temps après, le bruit des combats violents se fit entendre dans les escaliers. Finalement, Beretta entendit la porte craquer lors de leur troisième charge. Un autre élan et le panneau central se fendit de haut en bas. Beretta repoussa les morceaux de bois de son avant-bras et se précipita à l'intérieur. Elle trouva Célias, assise sur le trône de sa chambre, coiffée de sa tiare d'or, sa lance d'apparat appuyée au sol, la hampe reposant au creux de son bras gauche. Elle regardait droit devant elle, le visage sans expression.

«Majesté, nous devons fuir. Des rebelles se battent au seuil de votre porte.»

Célias ne répondit pas, et ne broncha pas.

«Célias!», cria Beretta en s'avançant, appelant pour la première fois sa souveraine par son nom.

Quand elle arriva près de la reine, elle remarqua son teint pâle et ses lèvres bleutées. Lorsqu'elle posa ses mains sur les épaules de sa souveraine, Beretta sentit le froid de la peau en même temps qu'elle vit ses pupilles dilatées. Célias était morte. Beretta recula, surprise. La lance tomba au sol et le diadème glissa le long du front de Célias quand elle s'affaissa sur la droite, retenue seulement par les bras de son trône. Beretta remarqua une petite coupe en or sur une table, à portée de main de Célias. Elle s'en empara. Quelques gouttes de vin en rougissaient le fond et une poudre blanche, qui ne s'était pas totalement dissoute, s'était déposée sur le rebord.

«Du poison», murmura Beretta en laissant tomber la coupe au sol.

Derrière elle, les bruits de combats s'intensifiaient. Les rebelles arrivaient à l'étage des appartements royaux en repoussant les gardes fidèles à la reine. La vierge de fer se retourna, les yeux pleins de larmes.

«Cessez le combat, cria-t-elle pour couvrir le bruit des armes qui s'entrechoquaient. Célias n'est plus. Brandan n'a plus de reine.»

Les combats près de la chambre s'arrêtèrent et tous les yeux se rivèrent sur le corps prostré de Célias. Beretta se demanda pour la première fois de sa vie si l'intransigeance légendaire des Brandéens, qui devait faire d'eux un peuple fort et craint, n'était pas excessive. Elle se demanda comment les habitants de Ferrolia auraient agi advenant une défaite de leur reine. Auraient-ils exigé qu'elle dépose sa couronne? Malgré le peu qu'elle connaissait d'eux, elle était convaincue que non.

CHAPITRE XXIV

LA MISSION

C'était le printemps. Les feuilles des arbres se déroulaient, montrant leur corps vert tendre au soleil qui venait les réchauffer et les caresser comme un amant attentionné. L'hiver avait été dur à Ferrolia, comme partout ailleurs. Plusieurs habitants moururent de faim ou furent malades. Nombreux eurent le scorbut. Le déluge, imposé par la Dame Blanche sur Arménis, avait apporté son lot de misère. Heureusement, avec le retour de l'été et du beau temps, les gens gardaient espoir. Déjà, les pousses sortaient de terre, laissant présager une excellente récolte. La majorité des habitants parvint à passer à travers cette période difficile grâce à la pêche. Ferrol avait fait en sorte que l'océan regorge de poissons et de *pain de sardine*, une sorte d'algue comestible, aux larges feuilles et au goût salé.

Le picotement particulier signalant qu'une mission attendait les deux seuls membres de l'Ordre de l'épervier fut presque accueilli avec soulagement par Keiko et Servia, qui étouffaient à la cour. Une escapade hors des murs du château était la bienvenue. Servia pourrait enfin laisser de côté, pour quelque temps, les incessantes décisions à prendre, les doléances interminables et souvent peu raisonnables des nobles, toujours les mêmes, et tout le décorum qu'elle se forçait à respecter.

Pour Keiko, se retrouver dans la nature, loin du tourbillon quotidien de la capitale, était presque devenu une question de survie. Auparavant, il n'avait connu que la vie dans une cabane au fond des bois, même si, de temps en temps, il se rendait dans le village de Sangbouc. Il parvenait très difficilement à supporter la vie dans une cité. Même les nombreux entraînements qu'il s'imposait ne lui apportaient plus de soulagement comme avant. Le jeune homme étouffait à l'intérieur des murs de pierre, et quand il sortait en ville, on le montrait constamment du doigt, comme s'il était une bête de foire. Les gens le craignaient, pour une raison qu'il ignorait, et s'écartaient systématiquement de son chemin. À croire qu'il serait capable de se jeter sur les habitants, de les tailler en pièces ou de leur donner des poux.

Les deux tourtereaux montèrent rapidement à la chambre de Servia. Cette dernière s'empressa de déposer l'amulette qu'elle portait au cou dans une bassine remplie d'eau. En quelques secondes, une image leur apparut. Deux yeux blancs, avec de longs cils, couvrirent l'ensemble de la bassine. Un message leur fut livré. Ils n'auraient su dire s'ils l'avaient entendu ou s'il avait été transmis de façon télépathique.

— *Bonjour, mes enfants, j'ai une mission pour vous,* commença la Dame Blanche, *mais auparavant, je dois vous annoncer que c'est la dernière fois que je m'adresse à vous. Si vous menez à bien votre prochaine mission, vous serez aptes à nommer les prochains membres de l'Ordre. Pour ce faire, vous devrez parcourir Arménis et choisir les personnes qui seront dignes de me représenter. Vous instaurerez également un code de conduite pour* les membres de l'Ordre. *Bien sûr, vous recevrez de temps en temps une mission d'un autre dieu, mais la plupart du temps, vous devrez vous-même vous assurer que le mal et l'injustice seront combattus. C'est une guerre qui ne se terminera certainement pas de votre vivant. Êtes-vous toujours disposés à le faire?*

— Oui, répondirent simultanément les deux amis qui gardaient les yeux fixés sur ceux de la déesse.

— *Je vous en remercie. Vous donnerez, à chacun des nouveaux membres de l'Ordre, soit une boucle d'oreille en nacre, comme la tienne, Keiko, ou un médaillon comme celui de Servia, ayant la forme d'un de mes yeux. Pour que ces objets deviennent sacrés et dotés des mêmes pouvoirs que les vôtres, la recrue devra effectuer un pèlerinage et plonger, avec son bijou, dans les eaux qui coulent de la chute où vous m'avez rencontrée. C'est seulement à partir de ce moment qu'il pourra devenir membre de l'Ordre de l'épervier.*

La déesse demeura silencieuse quelques instants.

— Nous avons bien compris et nous vous obéirons, s'empressa de dire Servia.

— *Votre prochain périple vous fera voyager assez loin,* ajouta la Dame Blanche, alors que ses yeux sans pupilles s'effaçaient. *Vous devrez retourner vers le nord. Le voyage sera long. Profitez-en pour élaborer les bases du code d'éthique de l'Ordre. Voici le monstre qu'a engendré une entité maléfique qui n'habite plus votre monde aujourd'hui. Vous devez le tuer. Toutes les personnes qui s'y sont mesurées, même les plus habiles chasseurs, n'y sont pas parvenues.*

Dans la bassine, l'image d'une créature apparut. On aurait dit un croisement entre une chauve-souris, dont elle avait les ailes, la fourrure et les oreilles, et un chat, dont elle possédait les yeux, les griffes acérées et rétractiles et les crocs blancs.

« *C'est une créature unique qui n'a pas de nom*, déclara la déesse. *Son esprit est plus noir que la plus profonde des cavernes. Jadis, elle vivait de la chasse, en forêt, ou dans les entrailles de la Terre, car elle voit aussi bien dans le noir qu'au grand jour, mais depuis quelques mois, elle guette les rares habitants de la côte. Championne de la dissimulation et des déplacements furtifs, elle attend qu'un enfant soit isolé et elle s'en empare. Je n'ai pas besoin de vous dire ce qu'elle en fait lorsqu'elle le rapporte à sa tanière.* »

Un frisson parcourut l'échine de Servia.

— Nous allons nous en occuper sur-le-champ, lança Keiko d'un ton solennel.

Les yeux de la déesse reparurent et se fermèrent à demi. Servia était sûre que si elle avait pu voir la bouche de la Dame Blanche, elle y aurait discerné un sourire.

— *Demeurez toujours honnêtes, vrais et purs. Ne laissez ni la gloire ni la médisance vous changer. Vous êtes aimés des dieux et l'amour entre vous est réciproque. Rares sont ceux qui peuvent en dire autant.*

L'image s'estompa, laissant Servia et Keiko muets ; ils se regardèrent un instant.

— Je vais préparer nos bagages, dit Keiko avec enthousiasme.

— Et moi, je vais aviser Lucius que nous quittons le royaume pour un bon moment, ajouta Servia, tout aussi excitée que son compagnon.

Brega s'était laissé tirer l'oreille quand il avait vu qu'il devait embarquer de nouveau sur un bateau, mais l'envie de s'éloigner de la vie monotone qu'il menait aux écuries du château prit le dessus sur sa peur de l'eau.

Pour ses services rendus à la patrie, Darius s'était vu confier le commandement de la galère de guerre nommée *Koza*, sur laquelle montaient l'âne, Keiko et Servia. Paolo avait été nommé capitaine du *Geignard*. Il avait d'abord voulu suivre Darius, mais l'art de la guerre ne l'attirait pas outre mesure. Ce dernier avait été flatté par cette offre de nouveau commandement et il avait accepté sur-le-champ. La galère comptait soixante hommes d'équipage qui pouvaient aussi devenir des rameurs, cinquante soldats, trente archers, et une baliste montée tout juste derrière la figure de proue énorme, sculptée à l'image d'une tête de bouc qui semblait charger.

Servia avait décidé de se faire transporter vers le nord à bord de la galère qui la déposerait près du secteur où elle et Keiko espéraient trouver la créature désignée par la Dame Blanche. Le *Koza* en profiterait pour sillonner les eaux dans les alentours afin de s'assurer qu'aucun vaisseau pirate ne parasitait les côtes du royaume, de même que celles situées plus au nord. Darius avait ordre d'attaquer tout vaisseau pirate qu'il rencontrerait et de demander leur reddition ; sinon, il devait l'envoyer par le fond. La jeune fille avait avisé Darius de ne pas les attendre. Après avoir réalisé leur mission, elle et Keiko prévoyaient poursuivre leur route et rejoindre la ville cachée des Juventis, dans les montagnes, au nord de Jupecha. Ils espéraient y retrouver Jeroban et lui offrir de devenir membre de l'Ordre de l'épervier. Servia avait prévenu Lucius que leur périple risquait de prendre plus d'un mois.

Le *Koza* leva l'ancre par un matin maussade. Dès que les voiles bleues et blanches furent hissées, le vent poussa la galère vers le nord. Keiko et Servia se retrouvaient à la proue où l'étendard de l'épervier était hissé, alors que le drapeau de Ferrolia claquait tout en haut du mât.

— Enfin de l'air pur, dit Keiko avant de prendre une profonde respiration.

Il regarda Servia et lui sourit. La jeune reine réalisa qu'il y avait bien longtemps qu'elle avait vu son ami sourire. Elle lui prit la main.

— Tu n'aimes vraiment pas la vie que nous menons au château, n'est-ce pas? lui demanda-t-elle.

Keiko haussa les épaules et ne répondit pas, scrutant les vagues au loin.

«Je vois bien que tu n'es pas heureux depuis que je suis reine. Je te promets que nous effectuerons davantage de voyages comme celui-ci. Nous n'avons pas eu beaucoup de temps à nous avec la famine, mon couronnement, la guerre avec Brandan.»

— Je sais, répondit Keiko en gardant son regard tourné vers le large. Je ne te reproche rien.

Servia plissa les yeux. Elle connaissait suffisamment son ami pour savoir qu'il ne livrait pas le fond de sa pensée. Elle tenta de l'inciter à se confier.

— Tu ne me reproches rien, mais…

— C'est vrai que je ne suis pas heureux à Ferrolia, lui confia Keiko en poussant un soupir. La vie de château, et même celle de citadin, n'est pas faite pour moi. J'étouffe, là-bas, et si ce n'était que ça, je pourrais le supporter, mais je ne me sens pas à ma place. J'ai l'impression d'être considéré comme une bête par plusieurs citadins.

— Ne t'occupe pas d'eux, lui conseilla Servia. Ils ne te connaissent pas.

— Je ne suis pas comme toi, Servia, dit-il en passant une main sur son visage. Je n'ai pas ta force de caractère. L'autre jour, alors que je revenais de la ville, j'ai croisé une femme et son enfant. Elle m'a souri, mais lorsque l'enfant s'est approché de moi, elle s'est empressée de le ramener vers elle et de s'éloigner, comme si je menaçais de le dévorer. La peur que j'ai vue dans ses yeux me donne encore le frisson. Tu ne sais pas ce que c'est que d'être perçu ainsi. Ça m'arrive souvent et je ne peux plus le supporter.

— Pauvre chéri, le plaignit Servia, accablée par le chagrin de son amoureux.

— Je comprends que tu aies des responsabilités, ajouta Keiko. Je te l'ai déjà dit, je ne te reproche rien, mais je ne sais pas combien de temps je pourrai encore vivre là-bas.

Servia demeura silencieuse pendant de longues minutes. Elle posa son regard sur un albatros qui escortait le navire.

— Comme j'aimerais voler comme l'épervier ou cet oiseau de mer, murmura-t-elle, songeuse. Ils doivent éprouver un tel sentiment de liberté !

Elle respira à fond et se tourna de nouveau vers Keiko.

— Donne-moi encore un an, le temps de remettre Ferrolia sur pied, et ensuite, je quitterai le château avec toi pour de bon, si c'est ce que tu désires, dit-elle.

— Tu ne peux pas quitter le château pour toujours, tu es la reine, répondit Keiko.

Ce fut au tour de Servia de hausser les épaules.

— Si c'est ce qu'il faut pour ne pas perdre mon amoureux, ce n'est pas un gros sacrifice. Moi aussi je réalise que cette vie n'est pas celle dont je rêvais. Je te promets que nous serons ensemble et heureux, peu importe où nous nous retrouverons.

Pour une des premières fois, ce fut Keiko qui prit les devants en saisissant le visage de Servia entre ses deux grosses mains, avant de déposer un tendre baiser sur ses lèvres.

— Nous sommes sûrement près de la tanière de cette créature, dit Servia en encochant une flèche.

— Probablement, répondit Keiko qui tenait son bâton de marche à deux mains devant lui, prêt à se défendre.

En plus des indications que leur avait fournies la Dame Blanche, le couple s'était informé auprès des habitants de la région afin de connaître les endroits où la créature avait été aperçue. Ils avaient trouvé un vieil homme et une adolescente qui leur avaient raconté leur rencontre avec la créature. L'homme l'avait vue au matin, et la fille, au coucher du soleil. S'ils disaient vrai, il était possible de la trouver hors de sa tanière, de jour comme de nuit.

Le jeune couple ne débusqua pas la créature. Ce fut plutôt elle qui les trouva. Elle les avait entendus venir de loin. Elle s'était donc approchée furtivement. L'odorat développé de Keiko le sauva, alors que l'animal fonçait sur lui à partir du ciel. Il sentit, juste avant qu'elle l'atteigne, son odeur un peu ammoniaquée. Il se tourna vivement, la cherchant des yeux. Son geste lui fit éviter l'assaut que lui réservait son adversaire. Ses griffes lui lacérèrent tout de même le cou et ses crocs se refermèrent en claquant dans le vide, à quelques centimètres seulement de son oreille.

Servia aperçut la créature, au moment où elle attaquait Keiko. Elle n'osa pas tirer, de peur de blesser son ami. La créature reprit de l'altitude en battant de ses ailes. Servia tendit son arc, mais la bête disparut avant qu'elle puisse tirer.

— Où est-elle passée ? dit-elle en abaissant son arme, alors qu'elle tournait lentement sur elle-même et qu'elle scrutait le ciel bleu et sans nuages.

Keiko se tenait les jambes légèrement écartées et il observait aussi le ciel.

— Elle est proche, je la sens, dit-il, mais je ne sais pas exactement où elle se trouve, elle semble invisible.

— Génial, dit Servia. Comment allons-nous l'attaquer si nous ne pouvons pas la voir ?

La jeune femme ressentit tout à coup une douleur brûlante dans le dos. La créature venait de déchirer sa chemise et de lui arracher un lambeau de chair. Servia cria de douleur, tout en laissant tomber son arc, et tenta d'attraper les pattes griffues derrière son dos, sans succès.

La créature avait déjà repris son envol. Keiko accourut aussitôt et se pencha vers Servia, qui était tombée à genoux, le visage déformé par la douleur. Il se retourna lorsqu'il entendit un bruit derrière lui. Il fit tourner son bâton pour frapper la bête. Il parvint à arrêter son geste juste à temps, lorsqu'il se rendit compte qu'il ne s'agissait pas de la créature, mais de Brega qui arrivait en toute hâte pour guérir sa maîtresse. Les narines de Keiko tressaillirent, alors qu'il perçut de nouveau l'odeur désagréable de la créature. Il se pencha juste à temps pour éviter les griffes de l'animal, qui visait sa tête.

— Tu l'auras voulu, dit-il avant de s'éloigner et de laisser l'âne s'occuper de Servia.

Les coutures de ses vêtements cédèrent bruyamment lorsque son corps, se recouvrant rapidement de longs poils noirs, prit de l'expansion. Il termina sa transformation dans un cri assourdissant. L'ours se dressa sur ses pattes arrière, laissant voir le *V* blanc qui couvrait sa poitrine.

Servia se releva péniblement, soulagée par le souffle de Brega. Elle vit Keiko se transformer et se lever, poussant un cri de défi à l'endroit de son adversaire, puis retomber sur ses quatre pattes. Il leva la tête et ses narines humèrent l'air. Avec une vivacité que ne laissait pas présager sa taille, son énorme patte droite frappa l'air et Servia entendit un son semblable à celui d'un tissu que l'on déchire. Tout juste avant, elle avait cru percevoir du mouvement dans les airs. Elle comprit alors que la créature n'était pas invisible, mais qu'elle était capable de mimétisme, adoptant les caractéristiques de son environnement pour s'y fondre.

Grâce à son odorat, Keiko était parvenu à blesser leur ennemi. Il l'ignorait, mais il l'avait atteint à l'aile droite, la déchirant en grande partie. L'ours leva de nouveau le nez. Il capta l'odeur ferreuse et caractéristique du sang, au pied d'un arbre. Il regarda Servia, se leva et tendit une patte vers l'arbre. Servia le regarda brièvement, puis d'une pensée, fit apparaître son arc dans sa main. Keiko la vit chercher dans le ciel, la corde de l'arc tendue, craignant une autre attaque. Ne parvenant pas à se faire comprendre de sa compagne, il reprit sa forme humaine.

— Dans l'arbre, Servia, elle se trouve dans l'arbre, devant moi. Je la sens.

Servia s'avança lentement vers l'énorme pin. Elle cherchait la créature parmi les branches, mais ne parvenait pas à l'apercevoir. Ce fut finalement sa blessure qui la trahit. Servia vit une goutte de sang tomber, juste comme elle se détachait de l'aile. Elle discerna alors la silhouette de la créature. Elle fit chanter la corde de son arc et sa flèche toucha sa cible. La bête croula au sol et ne bougea plus. Son pouvoir de mimétisme était contrôlé par sa volonté, et aussitôt qu'elle poussa son dernier souffle, sa fourrure, légèrement tigrée, prit une teinte fauve.

Brega s'approcha lentement de la créature et la sentit. Apparemment, l'odeur ne lui plut pas, car il secoua la tête et retourna se cacher derrière Servia.

CHAPITRE XXV

LA FIN DU RÈGNE

Servia était allongée sur le dos, les bras croisés derrière la tête. Le vent lui susurrait une douce mélodie à l'oreille, alors qu'il remuait les feuilles du grand chêne, tout près. Son regard se perdit dans l'azur du ciel d'été. Elle vit la silhouette d'un grand oiseau de proie qui planait silencieusement, à la recherche de sa pitance. Elle imagina la vue imprenable qui devait s'offrir à l'oiseau, se demandant ce qu'il ressentait quand les courants d'air ascendants poussaient sous ses larges ailes.

— Ce doit être enivrant, dit Servia sans se rendre compte qu'elle s'était exprimée à voix haute.

— Hum ! fit Keiko qui se réveilla. Il se retourna dans l'herbe et regarda sa compagne. Qu'as-tu dit ? ajouta-t-il, la bouche encore engourdie par le sommeil.

— Excuse-moi, dit Servia, je ne voulais pas te réveiller.

— De toute façon, nous devons repartir. Nous nous sommes reposés assez longtemps, ajouta Keiko en s'assoyant et en se frottant les yeux.

Servia l'observa avec amour. Il y avait maintenant plus de quinze ans qu'ils se connaissaient. Keiko devait bien, maintenant, avoir atteint la mi-trentaine ; il n'avait jamais su sa date de naissance, alors que Servia venait de célébrer, peu de temps auparavant, son trente et unième anniversaire. Malgré le temps, Keiko n'avait pas beaucoup changé, sinon qu'il avait pris du muscle et un peu de ventre et qu'un ou deux cheveux argentés apparaissaient çà et là dans sa tignasse, toujours en bataille. Dans sa forme d'ours, quelques poils blancs parsemaient le tour de ses yeux et de son museau.

Pour sa part, Servia avait pris davantage de formes. Ses hanches s'étaient très légèrement élargies et son buste s'était arrondi. La venue au monde de leur enfant y était pour quelque chose. Peu de temps après qu'elle eut accédé au trône, elle était tombée enceinte, et neuf mois après était né le petit Thomas, ainsi nommé en l'honneur du père adoptif de Servia. Il avait les grands yeux noirs de sa mère, mais le petit nez en bouton de son père, de même que ses cheveux hirsutes. Il était aujourd'hui âgé de treize ans et demeurait avec Ulbar, au temple de Ferrol où on lui donnait l'enseignement traditionnel ainsi que celui nécessaire pour devenir prêtre. C'est un choix qu'il avait fait dès qu'il avait atteint l'âge de huit ans. Zorta, quant à lui, s'occupait de lui enseigner le maniement des armes.

La naissance de l'enfant avait suscité de nombreuses discussions à Ferrolia. La reine ne s'était pas mariée avant de tomber enceinte. Plusieurs avaient désapprouvé ce choix de vie et ne s'étaient pas gênés pour critiquer la souveraine et son compagnon. On craignait également que cet héritier du trône soit comme son père, une créature moitié homme, moitié animale. On montra davantage Keiko du doigt lorsqu'on l'apercevait à l'extérieur du château et il s'en trouva d'autant plus triste. Servia, le voyant malheureux, alors qu'elle-même n'aspirait qu'à reprendre la route, décida alors d'abdiquer. Joshua, qui avait succédé à Lucius, puis à Mélénil comme conseiller, la convainquit de garder sa couronne. Servia accepta, mais elle devint reine de titre seulement, revenant au château pour de courtes périodes afin de passer un peu de temps avec son fils. On la nommait la reine-épervier. Et même si elle demeurait souveraine de titre, elle avait trôné seulement trois ans.

Pendant toutes ces années, lors de leurs fréquentes absences du château, ils avaient sillonné Arménis, réprimant le mal, là où il se trouvait. Au fil de leurs voyages, ils avaient recruté sept membres pour l'Ordre, disséminés dans toutes les régions, dont le premier fut Jeroban, le Juventis qui voyageait parfois avec eux. Le fidèle Brega les suivait partout avec enthousiasme. L'âne avait maintenant le museau couvert de poils blancs, mais il demeurait enjoué et en santé.

Leur nouvelle mission les mena près de la grande ville de Carbelton, sur la côte ouest, où une magicienne usait apparemment de son pouvoir pour réduire des hommes à l'esclavage. Le couple avait su qu'elle tentait de lever une petite armée, qu'elle contrôlait par la magie, afin de s'emparer des terres et des bâtiments d'un riche comte qui lui aurait jadis causé préjudice.

Servia et Keiko ne connaissaient rien de leurs querelles, et en réalité, elles ne les intéressaient pas. Cette magicienne retenait des hommes contre leur gré et les obligeait à exécuter des actes répréhensibles. C'est ce qui avait attiré leur attention. Leur plan consistait à se rendre d'abord chez le comte afin d'en apprendre plus sur la femme. Ils prévoyaient y être dans une heure ou deux si, bien sûr, on leur avait correctement indiqué le chemin.

Le couple reprit la route en direction du manoir, après une brève pause, pour casser la croûte et se reposer.

— Bienvenue chez moi, lança une voix derrière eux.

Ils se retournèrent vivement, la main sur leur arme, prêts à en découdre. Keiko trouva étrange de n'avoir rien entendu ni rien senti. Sur la route de terre se tenait une femme dans la mi-vingtaine avec de longs cheveux roux bouclés qui lui descendaient jusqu'à la taille. De minces sourcils de la même couleur surmontaient ses grands yeux verts. Son nez était parsemé de taches de rousseur. Elle portait une longue robe vert émeraude et une ceinture jaune cintrait sa taille fine. La magicienne tenait un long bâton de marche, plus haut qu'elle, gravé de runes. Elle souriait, amusée d'avoir surpris le couple.

«Je me nomme Myotis, ajouta-t-elle. Je suis honorée de rencontrer les membres fondateurs de l'Ordre de l'épervier. On m'a beaucoup parlé de vous.»

— Bonjour, répondit Servia qui demeurait méfiante. Je vois que vous nous connaissez. Dites-moi, seriez-vous par hasard la magicienne qui a maille à partir avec un comte des environs?

— Oui et en quoi cela vous concerne-t-il? demanda Myotis en arquant un sourcil.

— Cela ne nous concerne pas du tout. Nous ne nous mêlons pas de ce genre de querelle, répondit Servia. Par contre, on nous a raconté que vous recrutiez des hommes que vous contraigniez à vous aider grâce à votre magie.

L'Ordre s'oppose à toute forme d'esclavage et d'oppression. Nous sommes donc venus vous rencontrer afin de nous assurer que ce n'est pas le cas et que vos hommes jouissent de la liberté d'agir à leur guise. Peut-être nous a-t-on fourni de mauvaises informations.

— Non, non, répondit candidement la magicienne sans aucun remords dans la voix, on vous a bien renseignés. En effet, j'ai quelques hommes à mon service, mais soyez assurés qu'ils sont bien traités et bien nourris.

— Vous me confirmez que ces gens sont soumis à votre volonté et qu'ils n'ont pas le loisir de vous quitter s'ils le désirent ? demanda Servia, médusée par le manque de scrupule de la femme.

Keiko, de son côté, fronça les sourcils. Quelque chose n'allait pas. Il n'émanait aucune odeur de la magicienne.

— Exactement, dit la magicienne, vous savez comment sont les hommes, si nous n'arrivons pas à les contrôler, ils tentent de nous dominer. J'ai connu ma part de difficultés dans ma jeunesse et je me suis promis qu'aucun homme ne me maltraiterait plus. Que comptez-vous faire ? ajouta-t-elle, candidement.

— Nous devrons vous empêch…

Servia fut interrompue par Keiko qui venait de capter l'odeur de plusieurs hommes, de chaque côté de la route, cachés dans les buissons.

— C'est une embuscade, Servia, cria-t-il. Attention !

Huit hommes surgirent de leur cachette et s'élancèrent vers Keiko et Servia, armés d'épées et de haches.

Juste au moment où Servia entendit l'avertissement

de Keiko, elle vit le bâton de la magicienne s'illuminer. Elle réagit prestement en tendant son arc et en tirant une flèche dans sa direction. Le projectile traversa la magicienne qui disparut. Servia comprit alors qu'il ne s'agissait que de son image ; la magicienne devait se cacher tout près.

Keiko saisit sa grande épée derrière son dos et accueillit ses adversaires avec de grands moulinets, les forçant à freiner leur course. Servia, de son côté, encocha une flèche qu'elle tira dans la jambe de l'un des assaillants.

— Tente d'éviter de les tuer, Keiko, cria Servia en relâchant déjà un troisième projectile. Ils sont contrôlés et ils n'ont pas décidé de se battre.

— Trop tard, répliqua Keiko qui venait d'abattre un de ses ennemis d'un coup d'estoc au foie.

Déjà, trois hommes gisaient au sol, hors de combat. Servia laissa tomber son arc et dégaina son épée, alors que deux hommes arrivaient à sa hauteur. Les combattants adverses avaient déjà manipulé des armes, mais ils n'étaient pas des experts et le combat tourna rapidement à l'avantage du couple, alors que Keiko élimina un autre assaillant, tout en parvenant à tenir les autres en respect. Il ne restait plus que quatre d'entre eux, deux contre Servia, et deux contre Keiko.

La reine-épervier appliqua les leçons apprises auprès de Zorta, qu'elle visitait à chaque fois qu'elle se rendait à Ferrolia. Elle effectua une feinte de coup direct à l'abdomen et elle eut la satisfaction de voir, comme elle l'avait espéré, son adversaire baisser son arme afin de bloquer le coup. Servia, avec son épée légère, parvint à relever la pointe de son arme et à donner un coup du revers. Avant qu'elle ait complété sa manœuvre, elle fut secouée de spasmes, alors que ses muscles ne répondaient plus. Elle aurait pu croire qu'elle était victime d'une des crises qui la terrassaient pendant sa jeunesse, n'eût été de la lumière blanche qui l'avait aveuglée juste avant. Elle sut que la magicienne venait de la frapper d'un éclair. Servia tomba au sol, en proie à de vives douleurs, à la merci de ses adversaires. L'un d'eux lui planta sa lame dans le ventre. Brega, qui s'était tenu à l'écart jusque-là, accourut vers sa maîtresse, faisant fi des hommes armés. Il n'eut pas à s'en soucier de toute façon, car une forme sombre le dépassa et se jeta sur les deux hommes. Keiko avait vu sa bien-aimée au sol et il s'était immédiatement changé en ours, ignorant les deux coups d'épée que ses adversaires lui assénèrent lorsqu'il abandonna son combat pour s'élancer vers Servia. Il se jeta sans retenue sur les hommes qui avaient attaqué sa compagne.

Myotis était sortie de sa cachette. Elle regardait Servia avec contentement, qui était toujours inerte, au sol, le corps fumant à la suite de l'éclair qui l'avait touchée de plein fouet. Elle vit un filet de sang s'échapper de sa bouche. Satisfaite, elle se retourna vers l'ours et l'âne, dont elle connaissait les pouvoirs de guérison. La magicienne savait que le couple la recherchait et elle s'était informée sur eux et sur leurs capacités surnaturelles.

Un autre éclair quitta sa main tendue et frappa Keiko. L'ours fut déséquilibré et ralenti, mais il en fallait beaucoup plus pour le terrasser. Fou de rage et de douleur, il déchiqueta les deux hommes ayant attaqué Servia. Il n'en restait plus que deux autres. En grognant, il se tourna vers eux. Leurs regards vides ne reflétaient aucune peur. Brega, pendant ce temps, tentait de les contourner pour rejoindre Servia, toujours inanimée. Myotis utilisa une grande part de son énergie restante et lança un nouvel éclair sur Keiko. Le trait lumineux le frappa en plein visage, mais il demeura sur ses pattes, chancelant. Les hommes en profitèrent pour le frapper à plusieurs reprises, le blessant grièvement. Pendant que les ennemis s'acharnaient sur l'ours, Brega put les éviter et s'approcher de Servia.

Soudainement, entre lui et sa maîtresse surgit un énorme loup, que Myotis avait fait apparaître à l'aide d'un anneau magique, passé à son pouce. La bête se jeta sur Brega. Le petit âne n'était pas de taille à lutter contre un pareil prédateur, mais courageusement, il le mordit et rua tant qu'il put, mais les griffes et la mâchoire puissantes du loup lui infligeaient maintes blessures.

Keiko se traîna péniblement vers l'âne. S'il voulait que Servia et lui survivent, le petit équidé devait être épargné. Les hommes le suivirent, le tailladant de plus belle.

— C'est le moment d'en finir, soliloqua Myotis, en gesticulant et en invoquant ses dernières parcelles d'énergie, alors que ses adversaires étaient regroupés.

Les paroles qu'elle prononça auraient semblé inintelligibles pour un non-initié à la magie. Une langue de feu apparut juste au-dessus de sa paume, tournée vers le ciel, et se mit à grossir, se transformant en boule de feu, qu'elle lança.

Le loup saisit Brega à la nuque au même moment. L'âne fit un effort incroyable pour se traîner vers sa gauche. Il parvint ainsi à s'interposer, avec le loup sur le dos, entre la magicienne et Servia. La boule de feu le frappa de plein fouet. Le sort qui l'atteignit fut retourné contre Myotis, qui n'eut que le temps de crier et de se couvrir le visage avant d'être complètement entourée de son propre feu magique, qui la consuma en une fraction de seconde. Personne ne savait que l'âne possédait un tel don, offert jadis par la Dame Blanche. Le loup disparut quand Myotis périt. Brega tomba au sol, le poil roussi, et du sang s'échappait de ses multiples blessures. Sa respiration devint saccadée et irrégulière.

Keiko, de son côté, rampa péniblement vers son amoureuse, toujours inerte. En reprenant sa forme humaine, il étira un bras afin de saisir la main de Servia, mais il sombra dans l'inconscience avant d'y arriver, les doigts à quelques centimètres seulement de ceux de l'amour de sa vie.

Les deux hommes de Myotis recouvrèrent leur volonté quand la magicienne et le bâton qui servait à les contrôler furent consumés. Ils regardèrent autour d'eux, ne comprenant pas la raison de ce carnage. Ils se penchèrent brièvement vers Servia et Keiko, mais ils ne possédaient pas les connaissances suffisantes pour leur venir en aide. Pris de panique, ne comprenant rien à la situation à laquelle ils se trouvaient mêlés, et craignant d'être accusés de la mort de tous ces gens, ils s'enfuirent dans la forêt.

ÉPILOGUE

Ils apparurent dans un éclat de lumière surpassant en intensité les éclairs de Myotis. Maracon et Ferrol avaient obtenu une permission spéciale, avec le consentement unanime de tous les autres dieux, pour descendre sur Arménis. Ils prirent une forme humaine pour se rendre sur les lieux de la bataille.

Ferrol se dirigea vers le corps inanimé de Servia, qu'il souleva délicatement et sans effort, comme s'il s'agissait d'un objet fragile. Il n'avait pas versé de larmes depuis la mort de sa fille Thermaline. Pourtant, une goutte salée comme la mer s'échappa d'un de ses yeux et glissa le long de sa joue pour aller se perdre dans sa barbe frisée.

— Pauvre petite, ta vie aura été beaucoup trop courte et ton fardeau, incroyablement lourd pour tes épaules si frêles, déclara le dieu des eaux, ému, avant de serrer le corps sans vie de Servia contre son imposante poitrine.

Maracon, de son côté, s'était penché sur Keiko, demeuré nu après sa transformation. Il grimaça en regardant ses nombreuses blessures, songeant à la douleur qu'il avait dû supporter. Il secoua la tête et poussa un long soupir.

— Ainsi s'achève la vie de ces deux humains aimés des dieux, déclara-t-il, les yeux dans l'eau. Ce sont eux qui ont contribué à stopper l'ancien Culcuth dans sa folie mégalomane, et qui ont passé haut la main toutes les épreuves permettant de sauver Arménis du déluge. Ce sont eux qui ont formé l'Ordre de l'épervier, à la demande de notre mère. L'un d'entre eux est un change-forme, et l'autre est l'héritière d'un puissant royaume. Oui, leur vie aura été courte, mais intense. Ils auraient pu vivre encore longtemps, mais le destin en a décidé autrement.

— J'ai le cœur brisé, avoua Ferrol. Leurs âmes vaga-bondent certainement déjà dans les plaines de l'Éther. Je les accueillerai dans mon royaume et ils connaîtront la paix éternelle, ensemble.

— Je leur ferai la même offre, ils seront également les bienvenus chez moi, fit Maracon.

— Elle aurait tellement aimé voler, dit Ferrol en passant l'un de ses gros doigts dans la chevelure ébène de Servia.

— Et lui, retrouver sa forêt, ajouta le dieu de la terre.

— Qu'allons-nous faire de leurs corps ? demanda Ferrol. Il me répugne de les abandonner ici. Nous ne pouvons leur redonner la vie, Culcuth a pris son dû et même Agizel, déesse de la vie, ne pourrait les ressusciter.

Un sourire triste se dessina sur les lèvres de Maracon.

— Certes, nous ne pouvons leur rendre leur huma-nité, toutefois…

— Quoi, toutefois ? fit Ferrol, intrigué par le ton de son frère.

— Tu sais que j'aime exploiter toutes les avenues possibles. Je suis sûr qu'on ne nous en tiendra pas rigueur, dit le dieu de la nature.

— Mais de quoi parles-tu ? demanda Ferrol, impatient.

— Regarde, se contenta de répondre Maracon en fermant les yeux et en posant une main sur le corps froid de Keiko.

Des poils apparurent et Keiko se transforma de nouveau en ours. Il cligna des yeux, comme s'il se réveillait d'une longue hibernation et se leva lentement en s'étirant. Maracon se dirigea ensuite vers Ferrol et posa la main sur Servia. Le dieu de la mer sentit le poids de la jeune fille diminuer, et bientôt, elle tint complètement dans la paume de sa main ; elle devint un petit oiseau qui lissait ses plumes. Elle regarda le dieu d'un œil vif.

— Tu l'as transformée en épervier, balbutia Ferrol, surpris. Mais tu leur as redonné la vie, nous n'avons pas le droit. Nous serons punis.

— Je ne leur ai pas vraiment redonné la vie, dit-il. Leurs âmes errent toujours dans les plaines de l'Éther. Leur corps a simplement changé de forme.

Ferrol sourit.

— Enfin, elle pourra voler, comme elle en a toujours rêvé. Va ! dit-il à l'oiseau qui s'élança vers le ciel.

L'ours leur tourna le dos et s'enfonça dans les fourrés qui bordaient la forêt.

— Soyez heureux, dit Maracon en les regardant partir. Sachez qu'il reste un peu de vous dans votre fils. Nous ferons en sorte que vos armes lui parviennent.

— Bon, retournons parmi les nôtres, annonça Ferrol.

— Attends, je n'ai pas tout à fait terminé.

Maracon se dirigea vers le corps de Brega, qu'il caressa doucement.

— Je ne peux l'abandonner ici, fit le dieu de la nature. Son courage et sa fidélité doivent être récompensés. Je t'amène avec moi, Brega. Tu vivras à jamais dans mes jardins où l'herbe pousse à profusion et où l'eau des rivières est pure. Tu pourras même à l'occasion revoir les humains que tu as si bien servis au cours de ces années.

Maracon fit un signe de tête à son frère et les dieux disparurent.

À maintes lieues de là, Thomas, héritier de Ferrolia, fils de Servia et de Keiko, éprouva un malaise. Il fut pris d'étourdissements qui provoquèrent des haut-le-cœur. Il s'excusa au prêtre qui lui enseignait l'astronomie et tituba jusqu'à sa chambre. Quand il arriva pour s'étendre sur le lit, il vit que des objets y avaient été déposés. Il reconnut le bâton de marche de son père, l'arc et le carquois de sa mère. Sur l'édredon reposaient aussi la boucle d'oreille de Keiko et le pendentif de Servia. Sans qu'il sache pourquoi, il comprit que ses parents étaient décédés. Il s'effondra sur le lit en pleurant, serrant leurs armes contre sa poitrine.

Une étrange sensation le tira temporairement de sa tristesse. Il sentit sa main droite s'engourdir. Il la regarda et vit avec étonnement qu'elle était entièrement recouverte de poils noirs. Dans cette fourrure noire apparut lentement, en blanc, la silhouette d'un l'épervier.

L'ours s'était trouvé une tanière sèche et confortable. La forêt regorgerait bientôt de petits fruits, mais pour l'instant, il devait chasser, mangeant tout ce qu'il pouvait trouver : les insectes, dans les troncs morts, qu'il déchiquetait de ses puissantes griffes, les lièvres, les petits rongeurs et même des daims, parfois. Et quand il avait beaucoup de chance, il dénichait une ruche remplie de miel. Cette gâterie compensait pour les nombreuses piqûres d'abeilles.

Alors qu'il se reposait en bordure de la forêt, il entendit un cri strident. Il leva la tête et vit un oiseau se poser sur un tronc d'arbre, tout près de lui. L'épervier observa l'ours, penchant la tête d'un côté puis de l'autre. L'ours tenta d'identifier le nouveau venu. Il avait l'impression que cet animal ne lui était pas étranger. Il fit un pas vers l'avant. L'épervier ne broncha pas. L'ours approcha son nez et sentit l'oiseau, dont les plumes s'ébouriffèrent sous le souffle de l'ursidé.

L'épervier s'envola finalement, mais plutôt que de s'enfuir à tire-d'aile, il vint se poser sur le dos du gros mammifère. Aucune des deux bêtes ne savait pourquoi, mais la présence de l'autre lui procurait un sentiment de sécurité et de bien-être. Un lien puissant persistait entre eux, vestige de leur humanité perdue.

Les mois passèrent, puis les années, et les deux animaux demeurèrent toujours ensemble. Ils en vinrent même à collaborer pour chasser le gibier. L'épervier repérait leur cible de son regard perçant et l'ours suivait au sol, guidé par ses cris. La plupart du temps, l'ours tuait les proies et il donnait un bout de viande à l'épervier. Parfois, l'épervier rapportait dans ses serres un petit oiseau, dont l'ours ne faisait qu'une bouchée.

Ils passèrent de longues années ensemble, jusqu'à ce que la nature reprenne son dû. Affaiblis par la vieillesse, les deux animaux moururent paisiblement dans leur tanière, blottis l'un contre l'autre, par une journée d'hiver extrêmement froide.

La Dame Blanche rendit visite aux dieux, ses enfants. Elle en profita pour descendre à son tour sur Arménis et prit l'ours dans sa gigantesque main droite, et dans la gauche, le petit épervier brun.

— Je sais que vos âmes ont trouvé le repos, mais je tiens à ce que les gens se souviennent de vous à jamais, pour tout ce que vous avez accompli pour l'amour de ce monde et de vos semblables.

La nuit était claire et des milliers d'étoiles brillaient dans le froid ciel d'hiver. La lumière de la lune se reflétait sur la neige que le vent du nord balayait en rafales. Ce jour-là, grâce à l'intervention de la mère de tous les dieux, trois nouvelles constellations apparurent dans le firmament. Il y avait celle de l'Épervier, dont l'étoile qui formait la pointe de l'aile gauche était aussi le bout du museau de la constellation de l'Ours. Les deux amoureux étaient représentés pour l'éternité, côte à côte, dans le ciel d'Arménis. Une autre petite constellation était aussi apparue à la limite de la ligne d'horizon. Il s'agissait de la constellation de l'Âne.

On raconte que cette petite constellation n'était visible que l'hiver, par temps clair et froid, et qu'elle apparaissait seulement afin de réchauffer l'épervier et l'ours. Au fil des siècles, on oublia l'origine de ces trois constellations, mais on se souvint à jamais de leurs noms : Servia l'Épervier, Keiko l'ours et Brega l'âne.

REMERCIEMENTS

À mes parents et à mes frères et sœurs, ainsi qu'à mes amis qui m'ont côtoyé au fils des ans. Un simple merci pour avoir fait de moi ce que je suis. **Suzanne,** *ce livre t'est particulièrement dédicacé.*

La première édition
du présent ouvrage publié par
Les Éditions Porte-Bonheur
a été achevée d'imprimer
au mois de février de l'an 2010
sur les presses des Imprimeries
Transcontinental (Gagné)
à Louiseville (Québec).